漢字なりたちブック　別巻

全漢字まとめ帳

伊東信夫 著
金子都美絵 絵

太郎次郎社エディタス

全漢字まとめ帳◎目次

☆この本には、二〇二〇年・新学習指導要領にもとづく小学校の学習漢字一〇二六字がおさめられています。

☆配列は、音よみのアイウエオ順です。同じ音のなかでは総画数順に並んでいます。また、常用漢字表に音よみのない漢字は、訓よみで配しています。

（文科省「音訓の小・中・高等学校段階別割り振り表」にもとづく）

☆多数の音や訓をもつ漢字については、その代表的なものを掲載しています。

（　）内は中学校以上で習う読み方です。

この本の見方

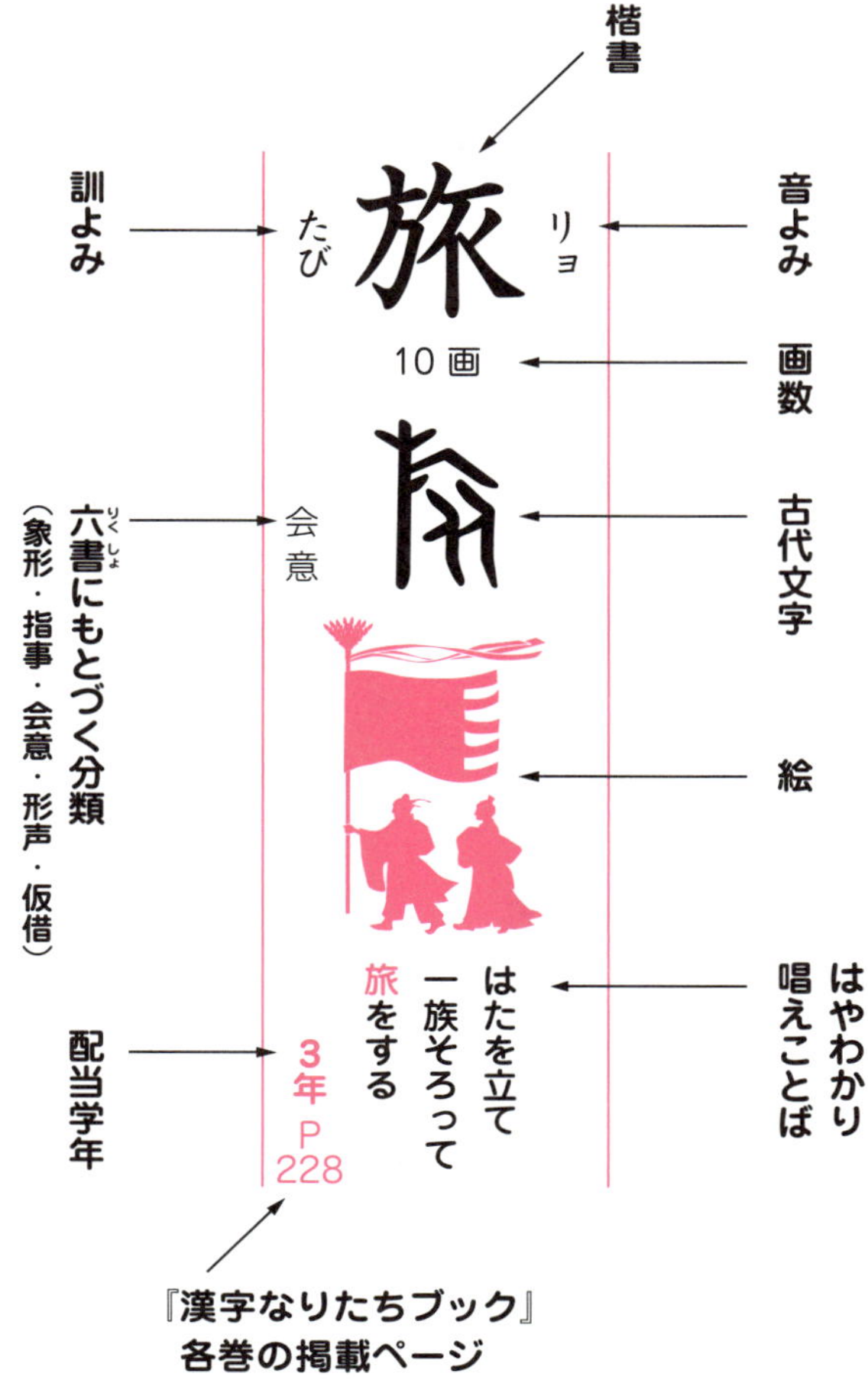

楷書
訓よみ
たび
旅
リョ
音よみ
10画
画数
六書《りくしょ》にもとづく分類（象形・指事・会意・形声・仮借）
会意
古代文字
絵
はたを立て一族そろって旅をする
はやわかり唱えことば
配当学年
3年
P228
『漢字なりたちブック』各巻の掲載ページ

ア行

愛《アイ》

13画

会意

気になって
ふりむく
すがたの
愛の文字

4年 P16

悪《アク》

わるーい

11画

形声

地下室の
おはかに
入れば
気味が**悪**い

3年 P16

圧《アツ》

5画

会意

悪いこと
おこらぬ
ように
おさえる**圧**

5年 P16

安《アン》

やすーらか

6画

会意

女の人が
おまいりを
して
安らかだ

3年 P17

案《アン》

10画

形声

もともとは
つくえを
あらわす
案の文字

4年 P17

暗《アン》

くらーい

13画

形声

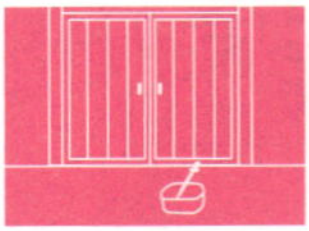

暗やみに
かすかな音の
するかたち

3年 P18

以《イ》

5画

象形

土をほる
すきの形が
以の文字だ

4年 P18

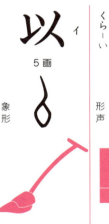

衣
イ　（ころも）

6画　象形

きもの着た
えりの形の
衣の字

4年　P19

位
イ　くらい

7画　会意

人が立つ
位置を
しめした
位《くらい》だよ

4年　P20

囲
イ　かこ－む

7画　形声

おしろの
まわりを
ぐるりと囲む
囲の文字だ

5年　P17

医
イ

7画　会意

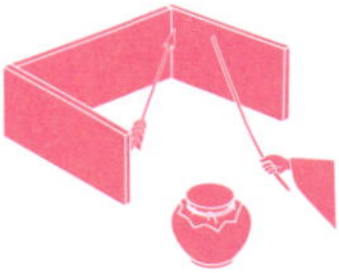

矢をつかい
病気をはらう
まじないの医

3年　P19

委
イ　ゆだ－ねる

8画　会意

イネ（禾）を
かぶって
おどる女の
すがたが委

3年　P20

胃
イ

9画　会意

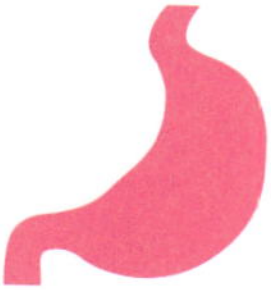

いぶくろと
にくづき（月）
あわせた
胃の文字だ

6年　P22

異
イ　こと－なる

11画　象形

両手をあげた
おにの
すがたの
異の文字だ

6年　P23

移
イ　うつ－す

11画　会意

おそなえ
多くしていのり
たたりはよそへ
移ってほしい

5年　P18

意
イ

13画

会意

かすかな音に
心をよせて
意味を知る

3年 P21

遺
イ

15画

形声

貴重な貝を
ささげもち
人におくるよ
遺という字

6年 P24

域
イキ

11画

形声

城壁で
かこんだ
都市の
領地が域

6年 P25

育
イク
そだ-つ
はぐく-む

8画

会意

生まれた子に
肉(月)が
ついて
育つ

3年 P22

一
イチ・イツ
ひと-つ

1画

指事

ぼう
いっぽん
かずを
あらわす一

1年 P68

茨
いばら

9画

形声

とげのある
植物あらわす
茨の字

4年 P21

引
イン
ひ-く

4画

会意

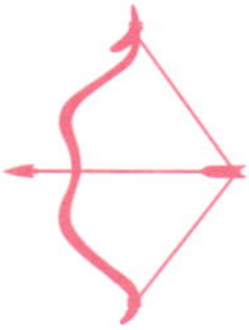

きりきりと
弓
引きしぼり
矢をはなつ

2年 P14

印
イン
しるし

6画

会意

手で人を
おさえつけてる
印の文字

4年 P22

因

イン
(よ－る)
6画
会意

因の字は
しかくい
むしろに
大の字だ

5年 P19

員

イン
10画
象形

まるい
うつわの
数をあらわす
員の文字

3年 P23

院

イン
10画
形声

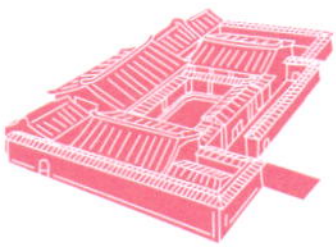

みんなでつかう
たてもの
あらわす
院の文字

3年 P24

飲

イン
の－む
12画
会意

人が口あけ
かめに入った
さけを飲む

3年 P25

右

ウ・ユウ
みぎ
5画
会意

ねがいを
こめて
うつわの𠙵《サイ》を
右の手にもつ

1年 P84

宇

ウ
6画
形声

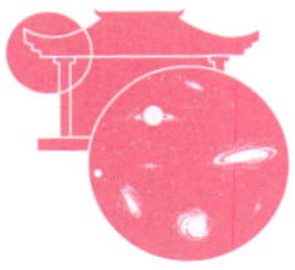

宀(うかんむり)
広く大きな
宇宙の宇

6年 P26

羽

(ウ)
はね・は
6画
象形

とりの羽
二まい
ならんで
いるかたち

2年 P15

雨

ウ
あめ・あま
8画
象形

くもがでて
ぽつぽつ
ふりだす
雨の文字

1年 P43

運

ウン
はこ-ぶ
12画

形声

車にはた立て
軍をうごかす
運の文字

3年 P26

雲

ウン
くも
12画

形声

もともとは
雲から
りゅうが
しっぽだす形

2年 P16

永

エイ
なが-い
5画

象形

水の流れが
つづくように
時間が永く
つづいてく

5年 P20

泳

エイ
およ-ぐ
8画

形声

ながれる
水でも
すいすい泳ぐ

3年 P27

英

エイ
8画

形声

さきほこる
美しい花
英の文字

4年 P23

映

エイ
うつ-る
9画

形声

日光に映《は》えて
けしきが
目に映る

6年 P27

栄

エイ
さか-える
9画

形声

かがり火が
もえさかる
ように
栄えるよ

4年 P24

営

エイ
いとな-む
12画

形声

かがり火を
たいて
仕事に
つとめる営

5年 P21

衛

エイ

16画

形声

城へきのまわりをまもる衛の文字

5年 P22

易

エキ・イ

やさ-しい

8画

会意

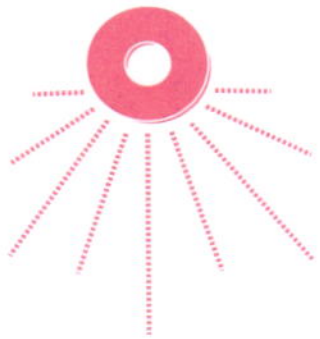

とくべつな玉がかがやく形の易

5年 P23

益

エキ

10画

会意

お皿からあふれる水だ益の文字

5年 P24

液

エキ

11画

形声

氵(さんずい)に夜とかいて血液の液

5年 P25

駅

エキ

14画

形声

馬でゆく道のとちゅうにできた駅

3年 P28

円

エン

まる-い

4画

形声

あしのあるまるいうつわが円の文字

1年 P64

延

エン

の-びる

8画

会意

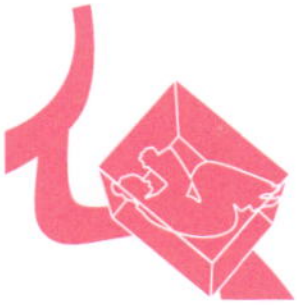

地下室のお墓につづく道の延

6年 P28

沿

エン

そ-う

8画

形声

海辺や川辺水に沿うのが沿の文字

6年 P29

エン
媛
（ひめ）
12画

形声

うつくしい
女のひとだ
ひめの媛
4年 P25

エン
園
（その）
13画

形声

なくなった
せんぞの
おはか
園の文字
2年 P17

エン
遠
とおーい
13画

形声

まくらもとに
わらじをそえて
遠くへ死者を
おくります
2年 P18

エン
塩
しお
13画

形声

むかしから
塩は料理に
かかせない
4年 P26

エン
演
14画

形声

とどこおりなく
ことを
おこなう
演の文字
5年 P26

オウ
王
4画

象形

まさかりの
はを下にした
王の文字
1年 P24

オウ
央
5画

象形

首かせを
つけてる人の
かたちが央
3年 P29

オウ
応
こたーえる
7画

形声

こたえること
応答すること
あらわす応
5年 P27

往

オウ
(ゆ－く)

8画

形声

出発の
ぎしきを
あらわす
往の文字

5年 P28

桜

(オウ)
さくら

10画

形声

夜**桜**　葉**桜**
山**桜**
花をさかせる
桜の木

5年 P29

横

オウ
よこ

15画

形声

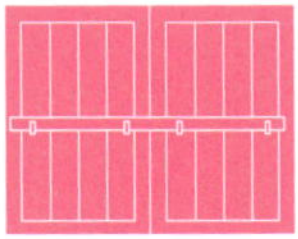

門をとじる
かんぬき
あらわす
横の文字

3年 P30

岡

おか

8画

会意

火をつかい
鋳物《いもの》をつくる
岡の文字

4年 P27

屋

オク
や

9画

会意

矢をはなち
至った
ところに
たてた小**屋**

3年 P31

億

オク

15画

形声

にんべんに
意の字を
かいて
一**億**の**億**

4年 P28

音

オン
おと・ね

9画

会意

耳をすまし
かすかに
ひびく
音をきく

1年 P55

恩

オン

10画

形声

たいせつに
心で思う
恩の文字

6年 P30

温

オン

あたた-かい

12画

形声

うつわの
なかみが
ほかほかして
いて**温**かい

3年 P32

カ行

下

カ・ゲ

した・お-りる
さ-がる・くだ-る

3画

指事

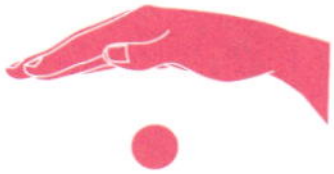

てのひらの
したは
ここだと
下の文字

1年 P83

化

カ

ば-ける

4画

会意

人ふたり
ひとりは
さかさま
化けるの字

3年 P36

火

カ

ひ

4画

象形

ぼうぼうと
もえて
火のこが
てんてんと

1年 P49

加

カ

くわ-える

5画

会意

すきを
きよめて
豊作いのる
ぎしきが**加**

4年 P32

可

カ

5画

会意

𠙵《サイ》を打ち
ねがいが
通じる形の
可

5年 P34

仮

カ

かり

6画

形声

仮面をつけて
仮のすがたに
なるのが仮

5年 P35

何

（カ）

なに・なん

7画

形声

ものを
かつぐ人
いまは何に
つかわれる

2年 P19

花

カ

はな

7画

形声

花はやっぱり
のにさく
はなよ

1年 P39

価

カ

（あたい）

8画

形声

売り買いの
ねだんや
ねうちを
あらわす価

5年 P36

果

カ

は－たす

8画

象形

木の上に
実が
なっている
果の文字だ

4年 P33

河

カ

かわ

8画

形声

氵（さんずい）に
可の字を
かいて
河のこと

5年 P37

科

カ

9画

会意

おこめ（禾）を
ます（斗）で
はかりわける
科

2年 P20

夏

カ

なつ

10画

象形

きかざって
おどる
すがたが
いつしか夏に

2年 P21

家
カ・ケ
いえ・や
10画
会意

はながきく
犬がまもった
りっぱな家

2年 P22

荷
（カ）
に
10画
形声

何の字に
くさかんむりで
荷物の荷

3年 P37

貨
カ
11画
形声

たからの貝と
化の字を
あわせて
おかねの貨

4年 P34

過
カ
す－ぎる
12画
形声

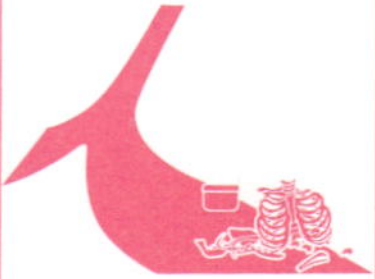

死者の骨に
いのりを
ささげて
通過する

5年 P38

歌
カ
うた
14画
形声

口をあけ
ねがいを
こめて
歌 うたう

2年 P23

課
カ
15画
形声

仕事や役目を
わけあう
ことが
課という字

4年 P35

我
（ガ）
われ
7画
仮借

のこぎりの
形の我の字が
「われ」に
使われ

6年 P32

画
ガ・カク
8画
会意

しかくい
画めんに
もようを
えがく

2年 P24

芽

ガ

め

8画

形声

草木の芽
まるで小さな
牙《きば》のよう

4年 P36

賀

ガ

12画

会意

貝をそなえて
豊作をねがう
ぎしきが賀

4年 P37

回

カイ

まわ-る

6画

象形

うずまきが
ぐるぐる回る
めが回る

2年 P25

灰

(カイ)

はい

6画

会意

火でもやし
のこった灰を
かたづける

6年 P33

会

カイ

あ-う

6画

象形

なべとふた
上下に
あわせた
会の文字

2年 P26

快

カイ

こころよ-い

7画

形声

スパッと刃物で
切るように
快いこと
はやいこと

5年 P39

改

カイ

あらた-める

7画

形声

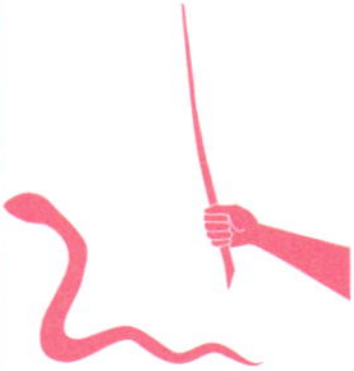

わざわいを
打って
はらって
改める

4年 P38

海

カイ

うみ

9画

形声

毎の字に
さんずい
つけて
海になる

2年 P27

界
カイ

9画

形声

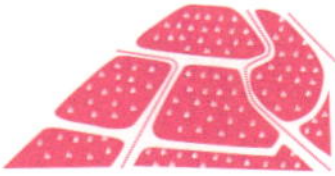

もともとは
田んぼの
さかいめ
あらわす界

3年 P38

械
カイ

11画

形声

くみたてて
うごかす
機械の
械の字だ

4年 P39

絵
カイ・エ

12画

形声

色とりどりの
糸でおられた
ししゅうの絵

2年 P28

開
カイ

ひら-く
あ-く

12画

会意

かんぬきを
両手で
はずして
開く門

3年 P39

階
カイ

12画

形声

神さまが
天から
おりたつ
階段だ

3年 P40

解
カイ

と-く

13画

会意

牛の角を
刀で切りとる
解の文字

5年 P40

貝
かい

7画

象形

うつくしい
貝は
おかねに
つかわれた

1年 P29

外
ガイ

そと
はず-す

5画

会意

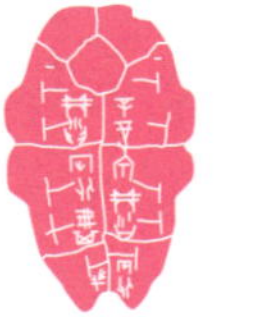

うらないの
文字は
こうらの
外がわに

2年 P29

害

ガイ

10画

会意

大きなはりで
𠙵《サイ》のいのりを
じゃまする害

4年 P40

街

ガイ

まち

12画

形声

行は十字路
街路が
ゆきかう
にぎやかな街

4年 P41

各

カク

(おのおの)

6画

会意

各の字は
天から神の
おりたつ形

4年 P42

角

カク

つの・かど

7画

象形

するどく
とがる
かたい角

2年 P30

拡

カク

8画

形声

拡

扌(てへん)と
広
ひろげること
をあらわす拡

6年 P34

革

カク

(かわ)

9画

象形

けものの皮を
広げて
なめした形が
革

6年 P35

格

カク

10画

形声

木の枝が
からむ
ことから
できた格

5年 P41

覚

カク

おぼ-える
さ-める

12画

形声

目が覚めて
いろんな
ものが
よく見える

4年 P43

閣
カク

14画

形声

門と各
高く
りっぱな
建物が閣

6年 P36

確
カク
たしーか

15画

確

形声

石のように
かたく
確かな
ことが確

5年 P42

学
ガク
まなーぶ

8画

会意

わかものの
まなびや
あらわす
学の文字

1年 P112

楽
ガク・ラク
たのーしい

13画

象形

かみさまも
楽しくなるよ
すずのねだ

2年 P31

額
ガク
ひたい

18画

形声

顔の正面
ひたいの
ことだ
額の文字

5年 P43

潟
かた

15画

潟

形声

しおがひき
あらわれた
土地
ひがたの潟

4年 P44

活
カツ
(いーかす)

9画

形声

活の字は
カツカツついて
水にながして
まじないをとく

2年 P32

割
(カツ)
わーる・わり

12画

形声

害の字に
刀(刂)を
そえた
割るの文字

6年 P37

株
かぶ
10画
形声

木のみきの根もとのところをあらわす株
6年 P38

干
カン　ほ-す
3画
象形

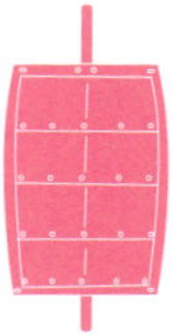

もともとは武器のたてからできた干
6年 P39

刊
カン
5画
形声

もともとは木をけずること 朝刊の刊
5年 P44

完
カン
7画
会意

いくさからぶじに帰っておまいりする完
4年 P45

官
カン
8画
会意

軍隊がおそなえの肉をまつる官
4年 P46

巻
カン　ま-く・まき
9画
会意

けものの皮を両手でくるくる巻いた巻
6年 P40

看
カン
9画
会意

目の上に片手をかざしてよく見る看
6年 P41

寒
カン　さむ-い
12画
会意

やねの下ほし草にもぐって寒さをしのぐ
3年 P41

間
カン・ケン
あいだ・ま
12画
会意

外と中との
間の門に
にくを
そなえる

2年 P33

幹
カン
みき
13画
形声

旗ざおの
形からできた
幹の文字

5年 P45

感
カン
13画
形声

𠙵《サイ》をまもって
ねがいの
こたえを
感じとる

3年 P42

漢
カン
13画
形声

もとは川の名
のちに
中国のことを
漢という

3年 P43

慣
カン
な-れる
14画
形声

心と貫
慣れる心を
あらわした慣

5年 P46

管
カン
くだ
14画
形声

管《くだ》のような
竹で作った
楽器が管

4年 P47

関
カン
せき
かか-わる
14画
会意

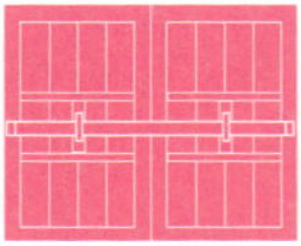

かんぬきを
とおして
門を
しめる関

4年 P48

館
カン
やかた
16画
形声

戦場で
まつりの肉を
そなえた館

3年 P44

簡《カン》

18画

形声

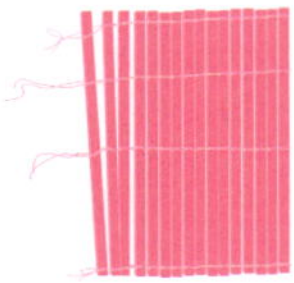

むかしむかし
文字を書いた
竹札が**簡**

6年 P42

観《カン》

(み-る)

18画

形声

鳥を見て
うらなう
ことから
できた**観**

4年 P49

丸《ガン》

まる

3画

象形

丸いたま
弓でとおくへ
はじいて
とばす

2年 P34

岸《ガン》

きし

8画

形声

山のがけ
水がながれる
川の**岸**

3年 P45

岩《ガン》

いわ

8画

象形

山のうえ
ごろん、
ごろんと
つみかさなる**岩**

2年 P35

眼《ガン》

(め)

11画

形声

悪いものを
おいはらう
目が
眼の文字

5年 P47

顔《ガン》

かお

18画

形声

せいじんしき
おでこに
しるしを
つけた**顔**

2年 P36

願《ガン》

ねが-う

19画

形声

つつしんで
頭を下げて
願いごと

4年 P50

危

キ
あぶ－ない

6画

形声

がけの上から
のぞきこむ人
危ないぞ

6年 P43

机

(キ)
つくえ

6画

形声

あしつきの
木でできた
台が
机だよ

6年 P44

気

キ・ケ

6画

形声

ごはんたく
ゆげを
あらわす
天**気**の**気**

1年 P54

岐

キ

7画

形声

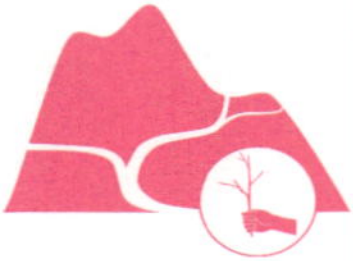

山のなか
わかれ道だよ
岐という字

4年 P51

希

キ

7画

象形

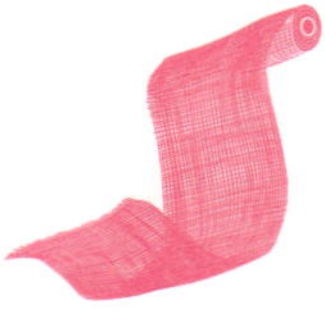

めずらしい
うすい布から
できた**希**だ

4年 P52

汽

キ

7画

形声

さんずいつけて
じょうきで
うごく
汽車の**汽**だ

2年 P37

季

キ

8画

会意

イネ(禾)を
かぶって
おどる子どもの
すがたが**季**

4年 P53

紀

キ

9画

形声

糸まきに
糸をまきとる
紀の文字だ

5年 P48

記

キ　しる-す

10画

形声

糸をきちんと
まくように
ことばをかいて
記ろくする

2年　P38

起

キ　お-きる

10画

形声

へびが
あたまを
もたげるように
体を起こす

3年　P46

帰

キ　かえ-る

10画

会意

いくさから
ぶじに
帰って
みやまいり

2年　P39

基

キ　（もと）

11画

形声

建物の
土台をつくる
基の文字だ

5年　P49

寄

キ　よ-る

11画

形声

寄りかかること
まかせること
をあらわす寄

5年　P50

規

キ

11画

会意

もともとは
コンパス
あらわす
規の文字だ

5年　P51

喜

キ　よろこ-ぶ

12画

会意

お祭りの
たいこを
たたけば
神さま喜ぶ

5年　P52

揮

キ

12画

形声

はたをふり
軍を指揮する
揮の文字だ

6年　P45

期

キ

12画

形声

きめられた
月日や時間を
あらわす**期**

3年 P47

貴

キ

(とうと-い)

12画

会意

貴重な貝を
だいじに
両手で
ささげもつ

6年 P46

旗

キ

はた

14画

形声

さおの先
しかくい
旗が
たなびく形

4年 P54

器

キ

(うつわ)

15画

会意

おおむかし
いけにえの
犬で
きよめた**器**

4年 P55

機

キ

(はた)

16画

形声

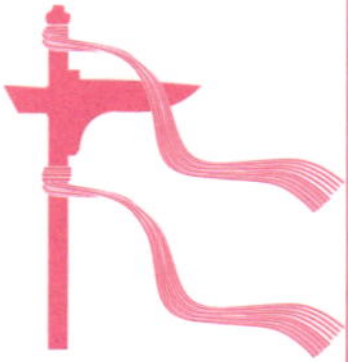

糸かざりが
ついてる形の
機の文字だ

4年 P56

技

ギ

(わざ)

7画

形声

扌(てへん)に支
手を動かして
たくみな**技**だ

5年 P53

義

ギ

13画

会意

羊と我
ただしい
ことを
あらわす**義**

5年 P54

疑

ギ

うたが-う

14画

象形

進むかどうか
まようこと
からできた
疑だ

6年 P47

議
ギ
20画

形声

ごんべん（言）と義で正しさをさがす議論の議
4年 P57

客
キャク
9画

会意

もともとは神さまがまつりのお客さま
3年 P48

逆
ギャク
さか-らう
9画

形声

逆さまの人の形であらわした逆
5年 P55

九
キュウ・ク
ここの-つ
2画

象形

おおむかしりゅうのかたちが九になる
1年 P76

久
キュウ
ひさ-しい
3画

象形

久の字はなくなった人をささえる形
5年 P56

弓
（キュウ）
ゆみ
3画

象形

つよい木にぴんとつるはりぶきの弓
2年 P40

旧
キュウ
5画

会意

古いこと古くからのことあらわす旧
5年 P57

休
キュウ
やす-む
6画

会意

せんそうはお休みにしてひょうしょう式
1年 P96

吸

キュウ
すーう
6画

形声

息を吸う
口（くちへん）
ついてる
呼吸の吸

6年　P48

求

キュウ
もとーめる
7画

象形

おまじない
ねがいが
かなうよう
求めます

4年　P58

究

キュウ
（きわーめる）
7画

形声

穴のなか
さぐって
なぞを
つきとめる究

3年　P49

泣

（キュウ）
なーく
8画

形声

さんずいは
なみだの
ことかな
泣くの文字

4年　P59

急

キュウ
いそーぐ
9画

形声

おいつか
なくちゃと
急ぐ心を
あらわすよ

3年　P50

級

キュウ
9画

形声

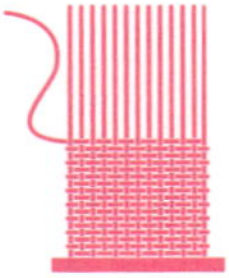

糸をおり
ぬのが
だんだん
できていく級

3年　P51

宮

キュウ
みや
10画

会意

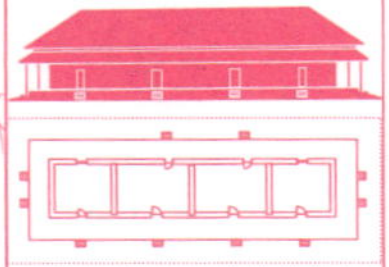

宮の字は
りっぱな
宮でん
あらわす形

3年　P52

救

キュウ
すくーう
11画

会意

わざわいから
救うまじない
あらわした救

5年　P58

カ

球

キュウ
たま

11画

形声

うつくしい
たからの玉だ
まんまるな球

3年 P53

給

キュウ

12画

形声

糸に合
つぎたしたり
あげたり
すること
あらわす給

4年 P60

牛

ギュウ
うし

4画

象形

つよそうな
つのを
あたまに
のせた牛

2年 P41

去

キョ・コ
さ-る

5画

会意

うそを言う
人もことばも
すて去られ

3年 P54

居

キョ
い-る

8画

会意

人がつくえに
こしかけて
いる
居の文字だ

5年 P59

挙

キョ
あ-げる

10画

会意

ささげ持つ
五つの
手がある
挙の文字だ

4年 P61

許

キョ
ゆる-す

11画

形声

許の文字は
ねがいが
通じて
許されること

5年 P60

魚

ギョ
さかな・うお

11画

象形

水のなか
ひれや
うろこの
ある魚

2年 P42

漁

ギョ・リョウ

14画

形声

水のなか
およぐ魚を
とるのが漁

4年
P62

共

キョウ

とも

6画

会意

両方の
手にものを
持ち
ささげる共

4年
P63

京

キョウ

8画

象形

門のうえ
やぐらを
たてた
みやこの京

2年
P43

供

キョウ

そな-える
とも

8画

形声

両手でものを
お供え
するのが
供の文字

6年
P49

協

キョウ

8画

形声

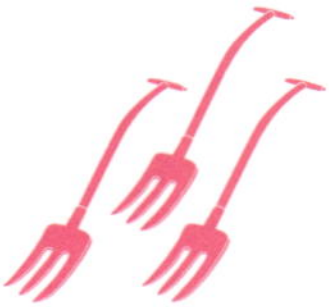

すき(力)三つ
協力しあって
たがやす協

4年
P64

胸

キョウ

むね

10画

形声

胸の字の
×はまよけの
印だよ

6年
P50

強

キョウ

つよ-い

11画

会意

虫からとった
糸を
つかった
強い弓

2年
P44

教

キョウ

おし-える

11画

会意

ちょうろうが
子どもを
教えている
ところ

2年
P45

郷

キョウ

11画

会意

村祭り
ごちそう
かこんでいる
郷だ

6年 P51

境

キョウ
さかい

14画

形声

土と竟
土地の
さかいめ
あらわす境

5年 P61

橋

キョウ
はし

16画

形声

目じるしの
高い木たてて
橋かける

3年 P55

鏡

キョウ
かがみ

19画

形声

金属で作った
むかしの
鏡だよ

4年 P65

競

キョウ・ケイ
(きそ-う)

20画

会意

人ふたり
ならんで
いのって
競いあう

4年 P66

業

ギョウ
(わざ)

13画

象形

かべづくり
土
うちかためる
どうぐの業

3年 P56

曲

キョク
ま-がる

6画

象形

竹を曲げ
つくった
かごの
かたちだよ

3年 P57

局

キョク

7画

会意

手足をまげて
死者が
ねている
局の文字

3年 P58

極
キョク
（きわ-まる）
12画

形声

つみびとを
とじこめた
せまい場所が
極

4年 P67

玉
ギョク
たま
5画

象形

てんをうち
王と**玉**とを
くべつする

1年 P61

均
キン
7画

形声

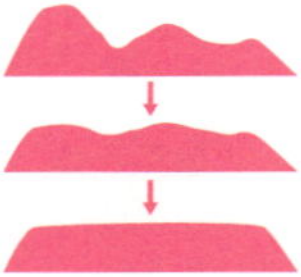

土地を
ならして
平らにするのが
均の文字

5年 P62

近
キン
ちか-い
7画

形声

近くまで
みちを
あるいて
でかけます

2年 P46

金
キン・コン
かね・かな
8画

象形

きんぞくを
とかして
かためた
金の文字

1年 P63

勤
キン
つと-める
12画

形声

すき（力）で
たがやし
ききんをふせぐ
勤の文字

6年 P52

筋
キン
すじ
12画

象形

力こぶ
筋肉や**筋**《すじ》を
あらわす字

6年 P53

禁
キン
13画

会意

林のなかの
神聖な場所は
立ち入り**禁**止

5年 P63

銀

ギン

14画

形声

金はこがね
銅はあかがね
銀はしろがね
金・銀・銅

3年 P59

区

ク

4画

会意

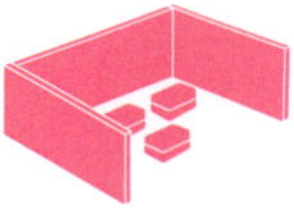

小さく
区切った
ひみつのばしょ
をあらわす区

3年 P60

句

ク

5画

会意

体をまげて
ほうむられる
人の形が句

5年 P64

苦

ク

くる-しい
にが-い

8画

形声

苦い苦い
草を
食べれば
苦しいよ

3年 P61

具

グ

(そな-わる)

8画

会意

具の文字は
うつわを
ささげて
もつかたち

3年 P62

空

クウ

そら・から
あ-く

8画

形声

ぽっかり
あいた
あなのように
ひろがる空

1年 P53

熊

くま

14画

会意

ムに月に
ヒヒに
よつてん
熊の文字

4年 P68

君

クン

きみ

7画

会意

もともとは
つえを
手にした
リーダーが君

3年 P63

訓
クン
10画
形声

川の神に
いのりを
ささげた
ことばが**訓**

4年 P69

軍
グン
9画
象形

車の上に
はたが
たなびく
軍の文字

4年 P70

郡
グン
10画
形声

君の字に
おおざと(阝)
かいて
地域の**郡**

4年 P71

群
グン
む-れ
むら-がる
13画
形声

群れを
つくった
羊がいるよ
群の文字

4年 P72

兄
(ケイ)
キョウ
あに
5画
会意

うつわを
ささげて
よこむくすがた
兄の文字

2年 P47

形
ケイ・ギョウ
かたち・かた
7画
会意

しあがった
ものの**形**の
うつくしさ

2年 P48

系
ケイ
7画
象形

糸かざり
いのちの
つながり
系の文字

6年 P54

径
ケイ
8画
形声

まっすぐな
近道
こみち
径の文字

4年 P73

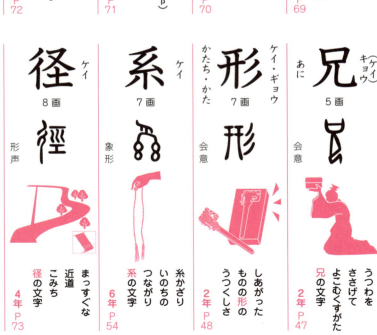

カ

係
ケイ
かかり
かか-る

9画

会意

かざり糸
人をつないで
関係の係

3年 P64

型
ケイ
かた

9画

形声

金属の
いものを作る
型の文字

5年 P65

計
ケイ
はか-る

9画

会意

ごんべんに
十をかいて
計算の計

2年 P49

経
ケイ
へ-る

11画

形声

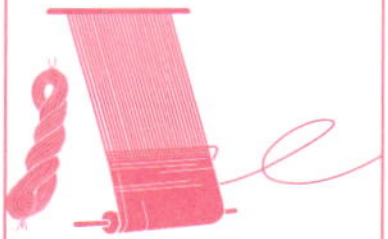

布をおる
たて糸
あらわす
経の文字

5年 P66

敬
ケイ
うやま-う

12画

会意

攵(むちづくり)
いましめ
いのる
ぎしきが敬

6年 P55

景
ケイ

12画

形声

京の字に
お日さまを
つけた
景の文字

4年 P74

軽
ケイ
かる-い

12画

形声

古代の戦車
馬にひかせて
軽やかに

3年 P65

警
ケイ

19画

形声

敬と言
警戒せよと
いましめる

6年 P56

芸

ゲイ

7画

会意

もともとは
木を
植えること
芸の文字

4年 P75

劇

ゲキ

15画

会意

刀(刂)で虎と
はげしく戦う
おしばいの劇

6年 P57

激

ゲキ
はげ-しい

16画

形声

打ちつける
激しい水の
流れの激

6年 P58

欠

ケツ
か-ける

4画

形声

刃もので
土の
うつわが
欠けた

4年 P76

穴

(ケツ)
あな

5画

象形

がけをほり
住む家にした
穴の文字

6年 P59

血

ケツ
ち

6画

会意

血の文字は
お皿のなかに
血のある
かたち

3年 P66

決

ケツ
き-める

7画

形声

こう水を
ふせいで
みせると
心を決める

3年 P67

結

ケツ
むす-ぶ

12画

形声

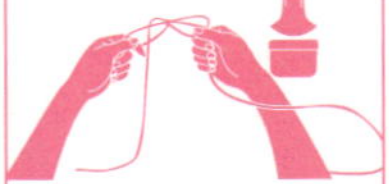

糸を結んで
しあわせを
かたく
まもる結

4年 P77

潔
ケツ
（いさぎよ-い）
15画

形声

おはらいを
して
水で清める
潔の文字
5年 P67

月
ゲツ・ガツ
つき
4画

象形

そらにでた
みかづきの
かたち
お月さま
1年 P51

犬
ケン
いぬ
4画

象形

むかしから
ひとの
ともだち
けものが犬
1年 P28

件
ケン
6画

会意

人と牛
あわせて
なぜか
事件の件
5年 P68

見
ケン
み-る
7画

象形

おおきな目
だいじな
ものを
見るかたち
1年 P93

券
ケン
8画

会意

刀でさいて
二つに分けた
むかしの券
6年 P60

建
ケン
た-てる
9画

会意
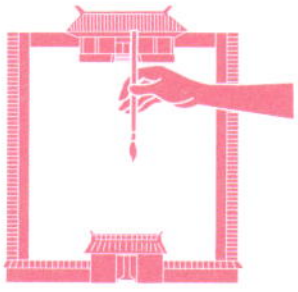
ふで（聿）を
手に
方角をきめて
建物つくる
4年 P78

研
ケン
（と-ぐ）
9画

形声

かんざしを
石でみがいた
研の文字
3年 P68

県
ケン
9画

会意

おおむかし
木に
ぶらさげた
首の**県**
3年 P69

健
ケン
(すこ-やか)
11画

形声

ゆるぎない
建物のように
人のからだが
健やかな**健**
4年 P79

険
ケン
けわ-しい
11画

形声

険しい山の
たいせつな
場所を
まもる**険**
5年 P69

検
ケン
12画

形声

検査や点**検**
しらべる
ことを
あらわす**検**
5年 P70

絹
(ケン)
きぬ
13画

形声

かいこの
まゆから
糸をつむいで
つくる**絹**
6年 P61

権
ケン
15画

形声

もともとは
はかりの
おもりを
あらわした**権**
6年 P62

憲
ケン
16画

形声

憲の字は
むかしの刑罰《けいばつ》
あらわす形
6年 P63

験
ケン
18画

形声

いのる人
馬とならべて
験の文字
4年 P80

元
ゲン・ガン
もと
4画

象形

おおもとの
くびは
ここだと
さししめす元
2年 P50

言
ゲン・ゴン
い-う・こと
7画

会意

かみさまの
まえで
ちかって
ものを言う
2年 P51

限
ゲン
かぎ-る
9画

会意

はしごの前で
にらまれて
ここが限界
ひきかえす
5年 P71

原
ゲン
はら
10画

象形

水がわく
みなもとの
かたちが
原の文字
2年 P52

現
ゲン
あらわ-れる
11画

形声

玉の光に
すがたを現す
現の文字
5年 P72

減
ゲン
へ-る
12画

形声

水をかけ
いのりの
ききめを
減らす減
5年 P73

源
ゲン
みなもと
13画

形声
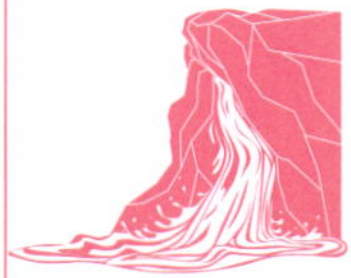
がけから泉が
わきでて
いるよ
水源だ
6年 P64

厳
ゲン
きび-しい
17画

形声

厳《おごそ》かに
お酒で
きよめる
ぎしきが厳
6年 P65

己
コ
（おのれ）
3画
象形

直角に曲がった道具の形が己

6年 P66

戸
コ
と
4画
象形

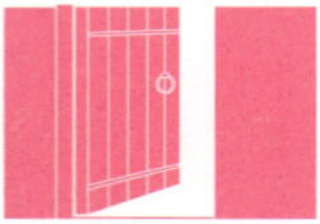

門のとびらかたほうだけの戸のかたち

2年 P53

古
コ
ふる-い
5画
会意

古くから𠙵《サイ》をまもっているかたち

2年 P54

呼
コ
よ-ぶ
8画
形声

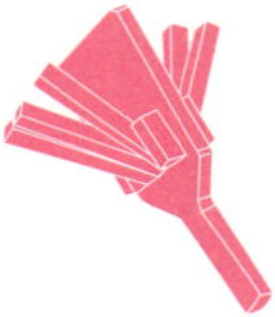

音を鳴らして神を呼びだす呼の文字だ

6年 P67

固
コ
かた-い
8画
会意

古をかこみいのりを固くまもってる

4年 P81

故
コ
（ゆえ）
9画
会意

だいじなうつわをわざと打ちつけこわす故だ

5年 P74

個
コ
10画
形声

イ（にんべん）に固の字をかいてひとつの個

5年 P75

庫
コ
10画
会意

いくさにつかう車を入れた車庫の庫だ

3年 P70

湖
コ
みずうみ
12画

形声

たっぷりと
水をたたえた
湖だ
3年
P71

五
ゴ
いつ-つ
4画

仮借

十までの
まんなかの
かずは五
1年
P72

午
ゴ
（うま）
4画

象形

おもちつく
きねの
かたちの
午前の午
2年
P55

後
ゴ
うし-ろ
あと・のち
9画

会意

みち（彳）に
いと（幺）で
てきを後ろに
しりぞける
2年
P56

語
ゴ
かた-る
14画

形声

ふたをして
いのりの
ことばを
まもった語
2年
P57

誤
ゴ
あやま-る
14画

形声

われを忘れて
おかしな
ことばを
言うのが誤
6年
P68

護
ゴ
（まも-る）
20画

形声

鳥を手に
うらないを
して
身をまもる護
5年
P76

口
コウ・ク
くち
3画

象形

はなす口
いのりの
ことばを
いれる𠙵《サイ》
1年
P16

工

コウ・ク

3画

象形

ものをつくる
どうぐを
あらわす
工の文字

2年 P58

公

コウ
（おおやけ）

4画

象形

とくべつな
ぎしきの
ばしょが
公の字だ

2年 P59

功

コウ

5画

形声

農作業に
力をつくした
てがらが功

4年 P82

広

コウ
ひろ-い

5画

形声

かべのない
広びろとした
たてものの広

2年 P60

交

コウ
まじ-わる

6画

象形

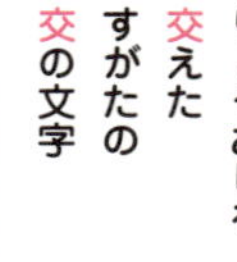

りょうあしを
交えた
すがたの
交の文字

2年 P61

光

コウ
ひかり
ひか-る

6画

会意

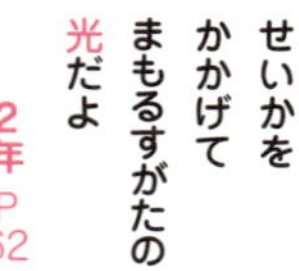

せいかを
かかげて
まもるすがたの
光だよ

2年 P62

向

コウ
む-かう

6画

会意

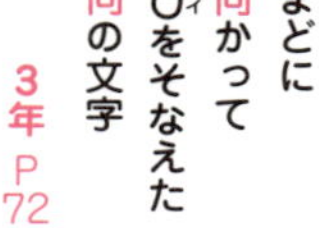

まどに
向かって
𠙵《サイ》をそなえた
向の文字

3年 P72

后

コウ

6画

会意

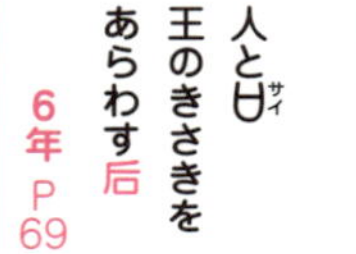

人と𠙵《サイ》
王のきさきを
あらわす后

6年 P69

好
コウ
この－む
す－く
6画

会意

女の人が
子どもと
いるよ
好の文字
4年
P83

考
コウ
かんが－える
6画

形声

おとしより
ちえを
しぼって
考える
2年
P63

行
コウ・ギョウ
い－く
おこな－う
6画

象形

よつかどが
すがたを
かえた
行の文字
2年
P64

孝
コウ
7画

会意

お年よりに
子どもが
よりそう
孝の文字
6年
P70

効
コウ
き－く
8画

会意

もともとは
矢を直すこと
効きめの効
5年
P77

幸
コウ
さいわ－い
しあわ－せ
8画

象形

幸せは
なぜか
むかしの
手じょうの形
3年
P73

厚
（コウ）
あつ－い
9画

会意

ご先祖に
お酒を
そなえて
手厚くまつる
5年
P78

皇
コウ・オウ
9画

象形

王のまさかり
上には
玉が
かがやく皇
6年
P71

紅

コウ
べに
9画

形声

糸と工
あかい紅色
くれないの紅

6年 P72

香

（コウ）
かお－り・か
9画

会意

こくもつの
おそなえものが
よい香り

4年 P84

候

コウ
10画

形声

都のまわりで
敵のようすを
うかがった候

4年 P85

校

コウ
10画

形声

木のぼうを
くんだ
たてもの
校の文字

1年 P113

耕

コウ
たがや－す
10画

形声

すきを持ち
田畑を耕す
耕の文字

5年 P79

航

コウ
10画

形声

まっすぐに
舟がわたるよ
航の文字

5年 P80

降

コウ
お－りる
ふ－る
10画

会意

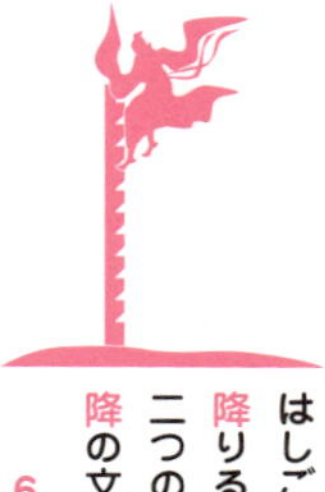

はしごを
降りる
二つの足あと
降の文字

6年 P73

高

コウ
たか－い
10画

会意

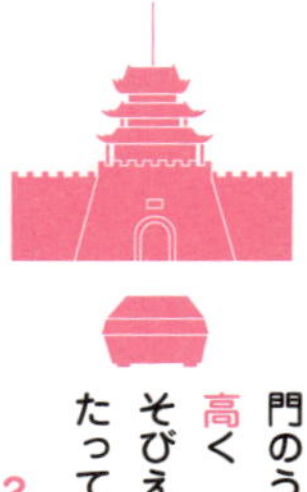

門のうえ
高く
そびえて
たっている

2年 P65

康
コウ

11画

会意

きねを持ち
お米を
ついてる
康の文字

4年 P86

黄
（コウ）
オウ
き

11画

象形

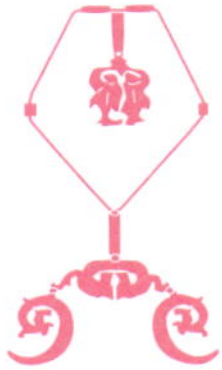

きらきら光る
ものから
できた
黄色の黄

2年 P66

港
コウ
みなと

12画

形声

たくさんの
船がゆきかう
港だよ

3年 P74

鉱
コウ

13画

形声

金属を
つくる材料
鉱石の鉱

5年 P81

構
コウ
かま-える

14画

形声

木を
組みあわせて
形をつくる
構の文字

5年 P82

興
コウ・キョウ
（おこ-る）

16画

会意

同はさかずき
地の神さまを
よびおこす興

5年 P83

鋼
コウ
（はがね）

16画

形声

鉄のなかでも
うんと
じょうぶな
はがねが鋼

6年 P74

講
コウ

17画

形声

ひもをあんで
いくように
ことばを組み
立てつなぐ講

5年 P84

号

ゴウ

5画

形声

𠙵《サイ》をうち
大きな声で
なきさけぶ**号**

3年 P75

合

ゴウ・ガッ
あ-う

6画

象形

だいじな
うつわに
ぴったり
合うよう
ふたをする

2年 P67

告

コク
つ-げる

7画

象形

小枝に𠙵《サイ》を
とりつけて
いのりの
ことばを
告げること

5年 P85

谷

（コク）
たに

7画

象形

山と山
あいだの
谷間の
かたちが**谷**

2年 P68

刻

コク
きざ-む

8画

形声

けものの肉を
刀（刂）で**刻**む
刻の文字

6年 P75

国

コク
くに

8画

会意

かべで
かこんで
まもった**国**

2年 P69

黒

コク
くろ

11画

会意

ふくろに
たまった
黒いすみ

2年 P70

穀

コク

14画

形声

いねや麦
穂から
実をとる
穀物だ

6年 P76

骨

コツ
ほね
10画
象形

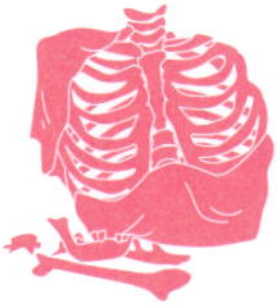

月（にくづき）と
ほねの形から
できた骨

6年
P77

今

コン
いま
4画
仮借

今という字は
きのこ
みたいな
ふたのかたち

2年
P71

困

コン
こま-る
7画
象形

木をはめて
あかない門は
困ります

6年
P78

根

コン
ね
10画
形声

木の根っこ
土をつかんで
うごかない

3年
P76

混

コン
ま-じる
こ-む
11画
形声

昆虫が
たくさん
集まり
混じりあう

5年
P86

サ行

左

サ
ひだり
5画
会意

かみをよぶ
どうぐは
左の手に
もった

1年
P85

佐

サ

7画

形声

にんべんに
左とかいて
たすける佐

4年 P90

査

サ

9画

形声

もとは木の名
いまは
しらべる
検査の査

5年 P90

砂

サ
すな

9画

形声

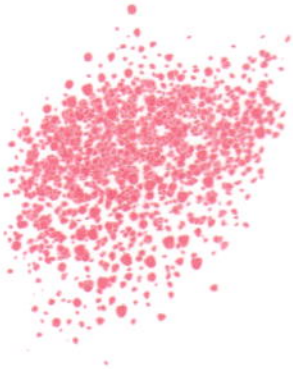

石をくだいた
小さな
つぶつぶ
砂の文字

6年 P80

差

サ
さ－す

10画

形声

左手で
イネを
差しだす
差の文字だ

4年 P91

座

ザ
（すわ－る）

10画

形声

土をはさんで
ふたりの人が
座ってる

6年 P81

才

サイ

3画

象形

とくべつな
ばしょに
めじるし
たてた才

2年 P74

再

サイ・サ
ふたた－び

6画

象形

再の字は
行って返して
ひもをあむ形

5年 P91

災

サイ
（わざわ－い）

7画

会意

火がもえて
水があふれる
災害の災

5年 P92

妻

サイ　つま

8画

象形

けっこん式
かんざしを
さした
すがたの妻

5年 P93

採

サイ　と-る

11画

形声

木の実や芽
手で
つみとるのが
採の文字

5年 P94

済

サイ　す-む

11画

形声

水をぶじに
わたりきる
こと
あらわした済

6年 P82

祭

サイ　まつ-り

11画

会意

祭だんに
肉をそなえた
祭りだよ

3年 P80

細

サイ　ほそ-い　こま-かい

11画

形声

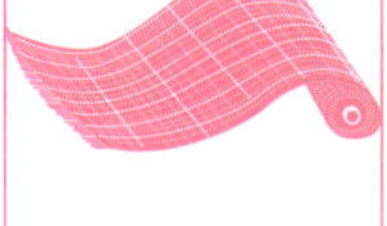

細く
細かく
おったぬの

2年 P75

菜

サイ　な

11画

形声

手で
つみとるよ
くさかんむりの
野菜の菜

4年 P92

最

サイ　もっと-も

12画

会意

取った
てがらが
最も多いぞ
最の文字

4年 P93

裁

サイ　さば-く

12画

形声

布を裁《た》ち
衣をつくる
裁の文字

6年 P83

際

サイ
（きわ）
14画

会意

際の字は
はしご（阝）の
前で
祭るそのとき

5年 P95

埼

さい
11画

形声

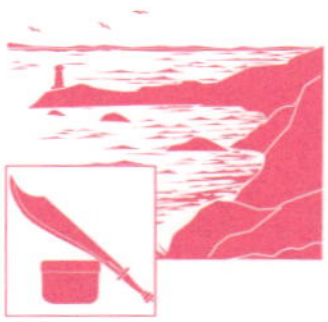

もともとは
水辺のみさき
埼玉の埼

4年 P94

在

ザイ
あ-る
6画

会意

とくべつな
場所の
ありかを
しめす在

5年 P96

材

ザイ
7画

形声

木材や
だいじな
ものを
作る材

4年 P95

財

ザイ
10画

形声

貝のお金や
たからを
あらわす
財の文字

5年 P97

罪

ザイ
つみ
13画

会意

もとの字は
罪人にした
いれずみの
こと

5年 P98

崎

さき
11画

形声

もともとは
けわしい山道
崎の文字

4年 P96

作

サク・サ
つく-る
7画

形声

木のえだを
おりまげ
作った
手作りのもの

2年 P76

サ

昨
サク

9画

形声

すぎさった
きのうの
ことだ
昨の文字

4年 P97

策
サク

12画

形声

はかりごと
対策 政策
策の文字

6年 P84

冊
サツ

5画

象形

もとは木の柵
やがて
書物を
あらわした冊

6年 P85

札
サツ
ふだ

5画

会意

もともとは
木の札
あらわす
札の文字

4年 P98

刷
サツ
す-る

8画

会意

木の板に
書いては
けずる
刷の文字

4年 P99

殺
サツ
ころ-す

10画

会意

けものを
打ちつけ
のろいを
はらった
殺の文字

5年 P99

察
サツ

14画

会意

やねの下
祭りを
おこなう
察の文字

4年 P100

雑
ザツ・ゾウ

14画

形声

いろいろな
色が集まり
いりまじる
雑

5年 P100

皿

さら

5画

象形

皿の字は
おさらを
よこから
見たところ

3年 P81

三

サン

み・みっ-つ

3画

指事

ぼう
さんぼん
ならべて
つくった三

1年 P70

山

サン

やま

3画

象形

さんかくの
てっぺん
とがった
たかい山

1年 P42

参

サン

まい-る

8画

会意

かんざし三本
頭にかざった
すがたの参

4年 P101

蚕

サン

かいこ

10画

形声

糸をとる
まゆつくる虫
が蚕だよ

6年 P86

産

サン

う-む

11画

会意

生まれた子の
ひたいに
しるしを
つける産

4年 P102

散

サン

ち-る

12画

会意

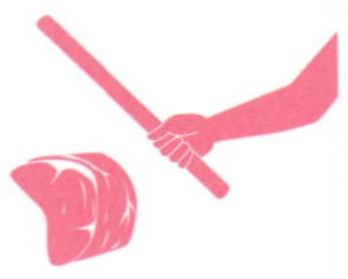

かたい肉
打って
たたいて
散りぢりに

4年 P103

算

サン

14画

会意

竹のぼう
ならべて
かぞえて
計算をする

2年 P77

酸

サン
(す-い)

14画

形声

酸っぱい
ことや
苦しいことを
あらわす酸

5年 P101

賛

サン

15画

会意

おそなえの
貝とかんざし
賛の文字

5年 P102

残

ザン
のこ-る

10画

形声

残の字は
ほねが
残っている形

4年 P104

士

シ

3画

象形

まさかりの
形であらわす
戦士の士

5年 P103

子

シ・ス
こ

3画

象形

手をひろげ
あたまの
おおきい
子どもだよ

1年 P15

支

シ
ささ-える

4画

会意

十と又
小枝を
手に持つ形の
支

5年 P104

止

シ
と-まる

4画

象形

あしあとの
かたちを
つけて
あし止める

2年 P78

氏

シ
(うじ)

4画

象形

一族そろって
食事会
ナイフの形が
氏の文字だ

4年 P105

仕
シ
つか-える
5画
形声

王に仕える
戦士を
あらわす
仕事の仕

3年
P82

史
シ
5画
会意

木の枝に
𠙵《サイ》をとりつけ
手に持つ史

5年
P105

司
シ
5画
会意

𠙵《サイ》を開いて
ぎしきを
おこなう
人の司だ

4年
P106

四
シ
よ・よっ-つ
5画
仮借

シーと
いきが
わかれて
四の文字

1年
P71

市
シ
いち
5画
象形

たてふだの
かたちから
できた
市場の市

2年
P79

矢
(シ)
や
5画
象形

まっすぐに
まとを
めがけて
とんでいく矢

2年
P80

死
シ
し-ぬ
6画
会意

死の文字は
ほねを
おがんで
いるかたち

3年
P83

糸
シ
いと
6画
会意

よりあわせ
まゆから
つくった
糸の文字

1年
P60

サ

至
シ
いた-る
6画

会意
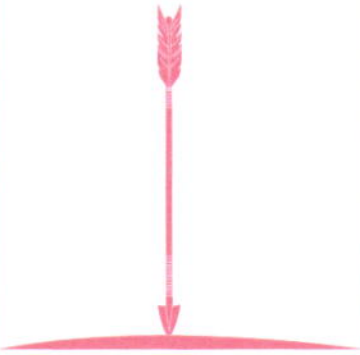
矢をはなち
至った
ところを
あらわす至
6年 P87

志
シ
こころざし
こころざ-す
7画

形声

志の文字は
心がめざして
ゆくところ
5年 P106

私
シ
わたくし
わたし
7画

会意

すき(ム)を
持ち
いね(禾)を
育てる私です
6年 P88

使
シ
つか-う
8画

形声

遠くまで
でかける
まつりの
使者のこと
3年 P84

始
シ
はじ-める
8画

形声

年の始め
すきを
きよめて
豊作をいのる
3年 P85

姉
(シ)
あね
8画

形声

おんなへんに
市をかいて
ねえさんの姉
2年 P81

枝
(シ)
えだ
8画

形声

支の文字に
木(きへん)を
つけて
枝のこと
5年 P107

姿
シ
すがた
9画

形声

女の人が
なげき悲しむ
姿だよ
6年 P89

思

シ
おも-う
9画

形声

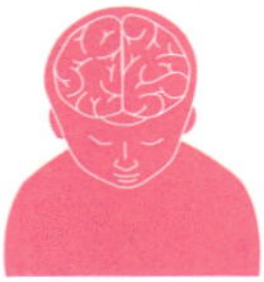

あたまと心を
あわせて
思う

2年 P82

指

シ
ゆび・さ-す
9画

形声

この肉は
うまいと
指さし
つまみとる

3年 P86

師

シ
10画

会意

将軍や
先生のこと
あらわす師

5年 P108

紙

シ
かみ
10画

形声

糸やぬのから
さいしょの
紙は
できました

2年 P83

視

シ
11画

形声

神前で
じっと
見つめる形の
視

6年 P90

詞

シ
12画

形声

𠙵《サイ》にこめた
いのりの
ことばが
詞の文字だ

6年 P91

歯

シ
は
12画

形声

口のなか
いまは米の字
ものをかむ歯

3年 P87

試

シ
こころ-みる
13画

形声

まじないの
道具と
ことばで
試みる

4年 P107

詩

シ

13画

形声

おもいをこめて
うたうように
となえた
ことばが詩

3年　P88

資

シ

13画

形声

商売の
もとでを
あらわす
資の文字だ

5年　P109

飼

シ　かーう

13画

形声

動物に
食べものを
あげて
飼っている

5年　P110

誌

シ

14画

形声

言と志で
文字を
しるして
のこす誌だ

6年　P92

示

ジ　しめーす

5画

象形

神さまを
祭るつくえの
形が示

5年　P111

字

ジ　(あざ)

6画

会意

やねのした
子どもが
いるよ
字という字

1年　P114

寺

ジ　てら

6画

形声

しごとする
おやくしょが
やがて
寺になり

2年　P84

次

ジ　つぎ・つーぐ

6画

象形

よこむいて
ためいき
つく人
次の文字

3年　P89

耳

（ジ）
みみ
6画
象形

ものをきく
耳はあたまの
りょうがわに

1年 P18

自

ジ・シ
みずか-ら
6画
象形

自分だよと
ゆびさす
はなの
かたちが自

2年 P85

似

（ジ）
に-る
7画
形声

農業を
ついでゆく人
似ている人

5年 P112

児

ジ
（こ）
7画
象形

かみの毛を
ゆった
子どもの
すがたが児

4年 P108

事

ジ
こと
8画
会意

まつりには
木のえだ
かかげる
行事の事

3年 P90

治

ジ・チ
おさ-める
なお-る
8画
形声

水を治める
ぎしきから
できた
治の文字だ

4年 P109

持

ジ
も-つ
9画
形声

寺の字に
てへんを
つけて
手に持つ持

3年 P91

時

ジ
とき
10画
形声

お日さまに
寺の字かいて
時間の時

2年 P86

滋

ジ

12画

形声

糸たばが
水をふくんで
ふくらむ滋

4年

P110

辞

ジ

13画

会意

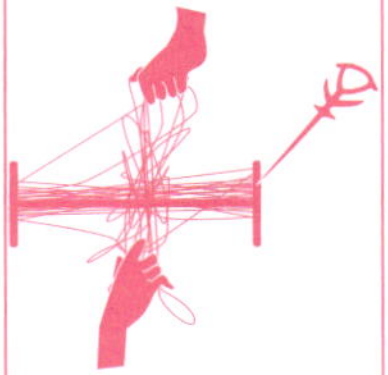

からんだ糸を
ほぐすように
ことばで語る
辞の文字だ

4年

P111

磁

ジ

14画

形声

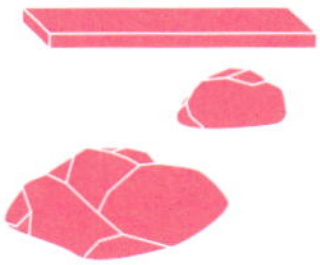

くろっぽい
磁石を
あらわす
磁の文字だ

6年

P93

鹿

しか・か

11画

象形

うるわしい
角のりっぱな
鹿の文字

4年

P112

式

シキ

6画

会意

まじないの
どうぐが二つ
式の文字

3年

P92

識

シキ

19画

形声

ものごとを
はっきり
見分けて
知る識だ

5年

P113

七

シチ

なな・なな-つ

2画

仮借

もともとは
ほねきる
かたちが
七となる

1年

P74

失

シツ

うしな-う

5画

象形

気を失うまで
おどる
すがたから
できた失

4年

P113

室
シツ　（むろ）
9画

会意

矢の
至りついた
ところにたてた
たてものの室

2年 P87

質
シツ
15画

会意

二つの
おの(斤)で
約束のことば
をきざむ質

5年 P114

実
ジツ　み・みの-る
8画

会意

おそなえの
貝のお金が
たっぷりの実

3年 P93

写
シャ　うつ-す
5画

会意

とくべつな
くつに
はきかえる
写の文字だ

3年 P94

社
シャ　やしろ
7画

形声

もとは土
土地の
かみさま
まつった社

2年 P88

車
シャ　くるま
7画

象形

くるくると
かるく
ころがる
車だよ

1年 P62

舎
シャ
8画

会意

もともとは
捨てるという
意味
舎の文字だ

5年 P115

者
シャ　もの
8画

会意

者のもとは
土にうめた
おまじない

3年 P95

サ

射
シャ
い-る
10画

会意

もともとは弓で矢を射る形の射
6年 P94

捨
シャ
す-てる
11画

形声

扌(てへん)に舎 𠙵《サイ》をつきさし捨てるという字
6年 P95

謝
シャ
(あやま-る)
17画

形声

お別れのことばを言ってたち去る謝
5年 P116

尺
シャク
4画

象形

手の指をひらいて長さをはかる尺
6年 P96

借
シャク
か-りる
10画

形声

借の字は人からなにかを借りること
4年 P114

若
(ジャク)
わか-い
8画

象形

両手をあげておどる女のすがたが若い
6年 P97

弱
ジャク
よわ-い
10画

会意

かざり弓ぶきではないから弱くてもよい
2年 P89

手
シュ
て
4画

象形

ごほんゆびぱっとひらいた手のかたち
1年 P19

主
シュ
ぬし・おも
5画

象形

じっとして
もえる
ほのおの
かたちが主
3年 P96

守
シュ・ス
まも-る
6画

会意

手(寸)で
しごとして
守ること
3年 P97

取
シュ
と-る
8画

会意

右手(又)で
耳を
つかんで
取る
3年 P98

首
シュ
くび
9画

象形

ぎょろ目の
うえに
かみのけかいた
首の文字
2年 P90

酒
シュ
さけ・さか
10画

形声

さんずいの
となりは
酒だる
酒の文字
3年 P99

種
シュ
たね
14画

形声

のぎへんと
重をあわせた
こくもつの種
4年 P115

受
ジュ
う-ける
8画

会意
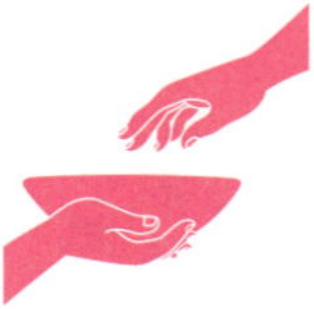
手から手へ
いれものに
入れて
受けわたす
3年 P100

授
ジュ
(さず-ける)
11画

形声

扌(てへん)に受
授けることを
あらわす授
5年 P117

サ

樹

ジュ

16画

形声

たいこを打って
わざわい
はらって
樹を植える

6年 P98

収

シュウ

おさ-める

4画

会意

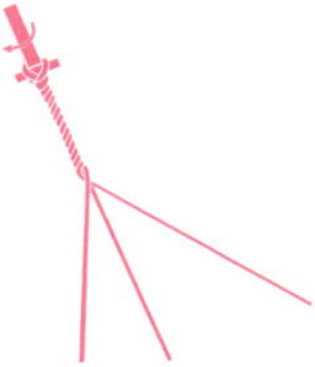

きりっとなわを
なうように
ものをまとめて
収めます

6年 P99

州

シュウ

(す)

6画

象形

川のなか
てん、てん、
てんで
州の字だ

3年 P101

周

シュウ

まわ-り

8画

会意

武器のたてに
びっしり
もようを
ほった周

4年 P116

宗

シュウ

8画

会意

示をおいて
先祖をまつる
お宮が宗

6年 P100

拾

(シュウ)

ひろ-う

9画

形声

てへんに
合うで
拾うという字

3年 P102

秋

シュウ

あき

9画

会意

イネのむし
火で
やきすてた
みのりの秋

2年 P91

修

シュウ

おさ-める

10画

会意

身をきよめ
さわやかに
なる形の修

5年 P118

終
シュウ
お-わる
11画
形声

糸の終わりを
むすんだ
かたちから
できた終

3年 P103

習
シュウ
なら-う
11画
会意

羽でうつわを
なんども
こすって
習いごと

3年 P104

週
シュウ
11画
形声

ひにちが
めぐる
一週間の週

2年 P92

就
シュウ
(つ-く)
12画
会意

城門の
完成式を
あらわす就

6年 P101

衆
シュウ
12画
会意

都市のなか
多くの人が
住む衆だ

6年 P102

集
シュウ
あつ-まる
12画
会意

たくさんの
とり(隹)が
集まり
木にとまる

3年 P105

十
ジュウ・ジッ
とお
2画
指事

たてぼうに
しるしを
つけて
十とする

1年 P77

住
ジュウ
す-む
7画
形声

にんべんに
主の字を
かいて
人が住む

3年 P106

重

ジュウ・チョウ

おも-い　かさ-なる

9画

会意

ふくろの下に
土のおもりで
重くなる

3年　P107

従

ジュウ

したが-う

10画

形声

道を行く
人の後ろに
人が従い

6年　P103

縦

ジュウ

たて

16画

形声

糸と従
たてよこの縦
をあらわす字

6年　P104

祝

シュク

いわ-う

9画

会意

𠙵《サイ》をかかげて
祭だんの
まえで
いのる祝

4年　P117

宿

シュク

やど

11画

会意

やねの下
人がねている
宿のこと

3年　P110

縮

シュク

ちぢ-む

17画

形声

のびちぢみ
縮むという
字は
糸と宿

6年　P105

熟

ジュク

(う-れる)

15画

形声

火(灬)にかけて
しっかり
にること
熟の文字

6年　P106

出

シュツ

で-る　だ-す

5画

象形

あしがたの
うちから
そとへ
出るすがた

1年　P95

述

ジュツ
の-べる

8画

会意

行く道の
安全をいのる
まじないが**述**

5年
P119

術

ジュツ
（すべ）

11画

会意

四つ角で
安全をいのる
まじないが**術**

5年
P120

春

シュン
はる

9画

形声

草はもえ
日は
うららうらと
春の文字

2年
P93

純

ジュン

10画

形声

もともとは
織物のへりの
かざりが**純**

6年
P107

順

ジュン

12画

形声

川のそば
安全をいのる
すがたの**順**

4年
P118

準

ジュン

13画

形声

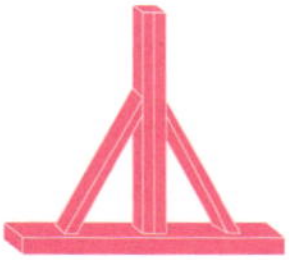

準の字は
水平をはかる
測定器

5年
P121

処

ショ

5画

会意

処の文字は
こしかけ（几）
にすわって
いるところ

6年
P108

初

ショ
はじ-め
はじ-めて
はつ

7画

会意

初めに刀で
切ってから
衣をつくる
初の字だ

4年
P119

サ

所
ショ　ところ
8画
会意

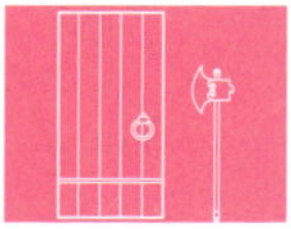

だいじな所
その戸を
おの(斤)で
まもります
3年 P111

書
ショ　か-く
10画
会意

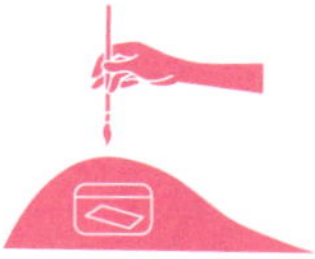

手にふでを
まっすぐ
もって
文字を書く
2年 P94

暑
ショ　あつ-い
12画
形声

者の上に
お日さま
てってる
暑い日だ
3年 P112

署
ショ
13画
形声

門のそば
守衛の
あつまる
ところが署
6年 P109

諸
ショ
15画
形声

あれこれと
多くあること
あらわす諸
6年 P110

女
ジョ　おんな
3画
象形

手をくんで
すわる
すがたの
女の字
1年 P23

助
ジョ　たす-ける
7画
会意

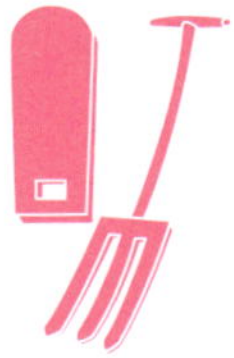

且《しょ》と力
たがやす
どうぐで
助けあう
3年 P113

序
ジョ
7画
形声

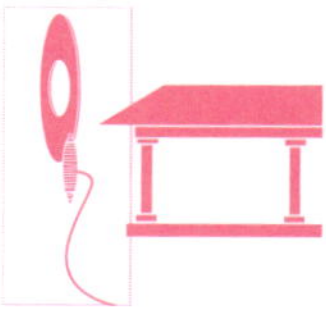

かたやねに
予の字を
かいて
順序の序
5年 P122

除

ジョ

のぞ-く

10画

形声

はしご(阝)
の前
はりで邪気を
とり除く

6年 P111

小

ショウ

ちい-さい
お・こ

3画

象形

てん、てん、
てん、
この貝みんな
小さいよ

1年 P101

少

ショウ

すく-ない
すこ-し

4画

象形

小さな貝に
ひもを
とおして
少の文字

2年 P95

招

ショウ

まね-く

8画

形声

神さまを
招くことから
できた招

5年 P123

承

ショウ

(うけたまわ-る)

8画

会意

承の字は
人を両手で
ささげる形

6年 P114

松

ショウ

まつ

8画

形声

一年中
あおあおと
した
松の木だ

4年 P120

昭

ショウ

9画

形声

もともとは
あきらか
といういみ
昭和の昭

3年 P114

将

ショウ

10画

会意

肉をそなえて
軍をひきいる
将軍の将

6年 P115

サ

ショウ
きーえる
けーす
消
10画
形声

だんだんと
水たまりの
水が
消えていく
3年 P115

(ショウ)
わらーう
笑
10画
象形

両手をあげて
首をかしげて
笑っておどる
4年 P121

ショウ
となーえる
唱
11画
形声

口をあけ
はっきり歌う
唱の字だ
4年 P124

ショウ
(あきなーう)
商
11画
会意

ものと金
やりとり
するのが
商売の**商**
3年 P116

ショウ
章
11画
象形

はりとすみ
むかしの
きれいな
入れずみの**章**
3年 P117

ショウ
かーつ
勝
12画
形声

去年に**勝**る
豊作ねがう
勝の文字
3年 P118

(ショウ)
やーく
焼
12画
形声

火で**焼**いて
土器を
つくるよ
焼の文字
4年 P125

ショウ
(あかし)
証
12画
形声

たしかに
こうだと
証明すること
証の文字
5年 P126

象
ショウ・ゾウ
12画
象形

長いはな
大きな体
象の文字

5年 P127

傷
ショウ
きず
13画
形声

玉の力や
人の力を
そこなう**傷**

6年 P116

照
ショウ
て-る
13画
形声

昭に
よつてん(灬)
光が**照**ること
照の文字

4年 P126

障
ショウ
(さわ-る)
14画
形声

阝(こざとへん)
聖地を守り
へだてる**障**

6年 P117

賞
ショウ
15画
形声

つぐないや
ほうびに
貝をあげた**賞**

5年 P128

上
ジョウ
うえ・かみ
あ-がる・のぼ-る
3画
指事

てのひらの
うえは
ここだと
上の文字

1年 P82

条
ジョウ
7画
会意

木の枝で
水ふりかける
条の文字

5年 P129

状
ジョウ
7画
形声

むかしの工事
犬をまよけに
した**状**だ

5年 P130

乗

ジョウ
の-る

9画

会意

木の上に
人が乗ってる
乗の字だ

3年 P119

城

ジョウ
しろ

9画

形声

土と成
城壁きずいて
守る城

4年 P127

常

ジョウ
つね

11画

形声

ぬの(巾)の
はば
常に同じに
したのが常

5年 P131

情

ジョウ
なさ-け

11画

形声

忄(りっしんべん)
は心だよ
うれしい悲しい
感情の情

5年 P132

場

ジョウ
ば

12画

形声

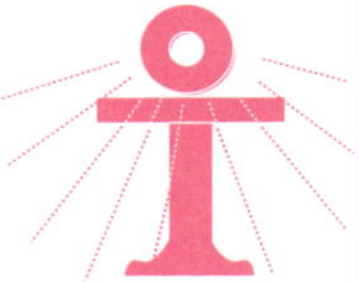

おそなえをして
かみさま
まつる
場所の場だ

2年 P96

蒸

ジョウ
(む-す)

13画

形声

さいしょは
おがら
いまは蒸すこと
あらわす蒸

6年 P118

縄

(ジョウ)
なわ

15画

形声

長い縄
ぴーんと
はって
正しくはかる

4年 P128

色

ショク・シキ
いろ

6画

会意

色の字は
ひとを
やさしく
だくかたち

2年 P97

食
ショク
た-べる
く-う
9画

象形

ごちそうは
食べるまでは
ふたを
しておく
2年 P98

植
ショク
う-える
12画

形声

きへんに直で
木を
まっすぐに
植えること
3年 P120

織
（ショク）
シキ
お-る
18画

形声

糸を**織**り
きれいな
もようの
織物だ
5年 P133

職
ショク
18画

形声

いくさの
てがら
耳にしるしを
つけた**職**
5年 P134

心
シン
こころ
4画

象形
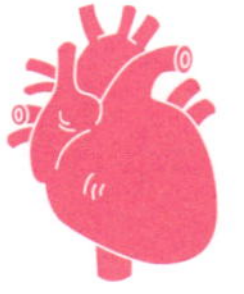
心ぞうの
かたちから
できた
心の字
2年 P99

申
（シン）
もう-す
5画

象形

かみなりの
いなずまの
かたち
申の文字
3年 P121

臣
シン・ジン
7画

象形

上を見る
大きな目玉
けらいの**臣**
4年 P129

身
シン
み
7画

象形

あかちゃんが
おなかに
いるよ
身の文字
3年 P122

信
シン

9画

会意

神かけて
やくそく
したこと
信という

4年

P130

神
シン・ジン
かみ

9画

形声

もとは申
つくえを
そえて
神の文字

3年

P123

真
シン
ま

10画

会意

もともとは
道にたおれた
人が真

3年

P124

針
シン
はり

10画

形声

もともとは
ぬい針
あらわす
針の文字

6年

P119

深
シン
ふか-い

11画

形声

深い深い
水の中まで
さがしもの

3年

P125

進
シン
すす-む

11画

形声

隹《すい》はとり
とりが教えた
進む道

3年

P126

森
シン
もり

12画

会意

みっつの木
かいて
あらわす
森の文字

1年

P36

新
シン
あたら-しい・あら-た・にい

13画

会意

まつりには
新しい木を
おのできる

2年

P100

親

シン
おや
した-しい
16画

会意

なくなった
親の
いはいを
おがむ人

2年 P101

人

ジン・ニン
ひと
2画

象形

よこむいて
人がたってる
かたちだよ

1年 P14

仁

ジン
4画

会意

しきものを
人にすすめる
仁の文字

6年 P120

図

ズ・ト
(はか-る)
7画

会意

じぶんの土地は
きちんと
地図に
かいておく

2年 P102

水

スイ
みず
4画

象形

川のなか
たえること
なく
ながれる水だ

1年 P44

垂

スイ
た-れる
8画

会意

花や葉が
土に
とどくほど
垂れさがる

6年 P121

推

スイ
(お-す)
11画

形声

隹《すい》は鳥
鳥でうらない
推測をする

6年 P122

数

スウ
かず
かぞ-える
13画

会意

かみのけは
数えきれない
ほどの数

2年 P103

サ

寸

スン

3画

会意

もともとは
指一本の
はばが寸

6年 P123

井

（セイ）

い

4画

象形

木のわくを
井の字に
くんだ
井戸のふち

4年 P131

世

セイ・セ

よ

5画

象形

木のえだに
芽がでて
やがて
えだになる世

3年 P127

正

セイ・ショウ

ただ-しい
まさ

5画

会意

せめこんで
まちを
せめとる
正の文字

1年 P105

生

セイ・ショウ

う-まれる
い-きる・なま

5画

象形

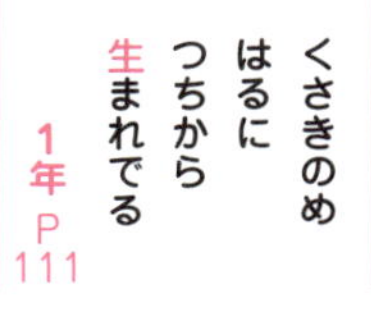

くさきのめ
はるに
つちから
生まれでる

1年 P111

成

セイ

な-る

6画

会意

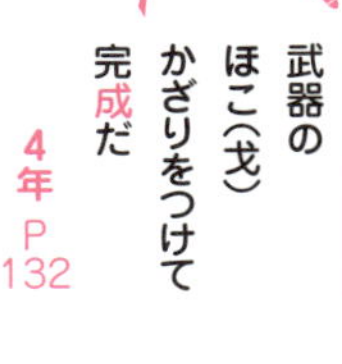

武器の
ほこ（戈）
かざりをつけて
完成だ

4年 P132

西

セイ・サイ

にし

6画

仮借

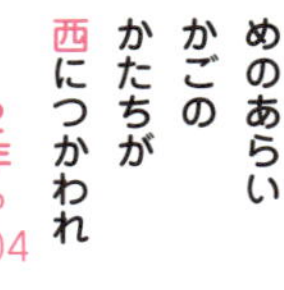

めのあらい
かごの
かたちが
西につかわれ

2年 P104

声

セイ

こえ

7画

会意

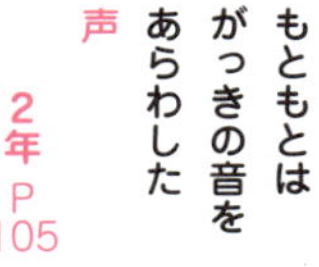

もともとは
がっきの音を
あらわした
声

2年 P105

制
セイ
8画

会意

のびた枝
刀(刂)で
切って
ととのえる**制**

5年 P135

性
セイ
8画

形声

心(忄)と生
もって
生まれた
性質の**性**

5年 P136

青
セイ
あお
8画

形声

いどをほり
青い色だす
つちをとる

1年 P103

政
セイ
(まつりごと)
9画

形声

むちを持ち
税をとるのが
政の文字

5年 P137

星
セイ
ほし
9画

形声

かぎりなく
よぞらに
ひかる
お**星**さま

2年 P106

省
セイ・ショウ
はぶ-く
9画

形声

目の上に
かざりを
つけて
見まわる**省**

4年 P133

清
セイ
きよ-い
11画

形声

すみきった
清らかな水を
あらわす**清**

4年 P134

盛
(セイ)
も-る
11画

形声

お皿に
おそなえ
たんと**盛**る

6年 P124

晴

セイ
は－れる

12画

形声

青いそら
お日さま
かがやく
晴れた日だ

2年
P107

勢

セイ
いきお－い

13画

会意

たがやして
植えた苗木が
育つ勢い

5年
P138

聖

セイ

13画

会意

耳がよく
お告げを
ききとる人が
聖人

6年
P125

誠

セイ
（まこと）

13画

形声

誠実な
ちかいを
あらわす
誠の文字

6年
P126

精

セイ

14画

形声

とれたお米の
きれいな
ことを
あらわす精

5年
P139

製

セイ

14画

形声

布をたち
衣をつくる
製の文字

5年
P140

静

セイ
しず－か

14画

会意

青いえのぐで
すきを
きよめた
ぎしきが静

4年
P135

整

セイ
ととの－える

16画

形声

まきたばを
きちんと
たばねる
整の文字

3年
P128

税
ゼイ
12画

形声

こくもつで
おさめた税を
あらわす税
5年
P141

夕
（セキ）
ゆう
3画

象形

ゆうがたの
月を
あらわす
夕の文字
1年
P52

石
セキ・シャク
いし
5画

会意

がけの下
かみの
いどころ
石の文字
1年
P47

赤
セキ
あか
7画

会意

人と火を
くみあわせた
のが
赤の文字
1年
P104

昔
（セキ）
むかし
8画

仮借

うす切りの
ほし肉の
かたちが
昔につかわれ
3年
P129

席
セキ
10画

会意

しきものを
しいて
席を
つくります
4年
P136

責
セキ
せ-める
11画

形声

もともとは
税金の意味
責の文字
5年
P142

積
セキ
つ-む
16画

形声

こくもつを
積んで
おさめた
税が積
4年
P137

積

セキ

17画

形声

織物でおさめた税をあらわす積

5年 P143

切

セツ

きーる

4画

会意

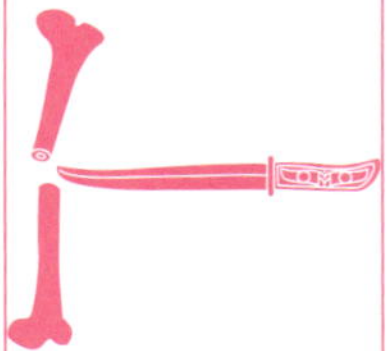

七と刀あわせてほねを切るかたち

2年 P108

折

セツ

おーる・おり

7画

会意

草木をおの(斤)で切って折る

4年 P138

接

セツ

(つーぐ)

11画

形声

会うことやつながることをあらわす接

5年 P144

設

セツ

もうーける

11画

会意

祭りやぎしきの場所を設ける設の文字

5年 P145

雪

セツ

ゆき

11画

象形

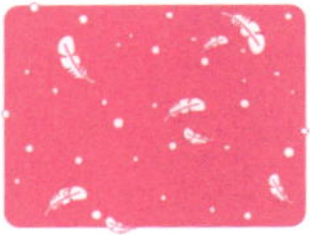

はらはらとはねのようにふってくる雪

2年 P109

節

セツ

ふし

13画

形声

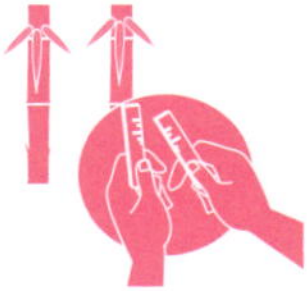

竹ふだをもって出かけた使節の節

4年 P139

説

セツ

とーく

14画

形声

もともとはいのりがつうじてよろこぶのが説

4年 P140

舌

（ゼツ）　した

6画

象形

舌の字は
口からベロが
出ている形

6年 P127

絶

ゼツ　たーつ

12画

形声

はたおりの
糸が切れてる
絶の文字

5年 P146

千

セン　ち

3画

形声

もともとは
人によこぼう
千の文字

1年 P79

川

（セン）　かわ

3画

象形

うねうねと
みずが
ながれる
さんぼんの川

1年 P45

先

セン　さき

6画

会意

せんとうを
いく
ひとのこと
先の文字

1年 P110

宣

セン

9画

会意

宣室に
王の宣言
ゆきわたる

6年 P128

専

セン　（もっぱーら）

9画

会意

手(寸)で
こねて
打ってまるめる
形が専

6年 P129

泉

セン　いずみ

9画

象形

がけから水が
流れおちてる
泉だよ

6年 P130

浅

（セン）　あさ-い

9画

形声

浅の字は
水が少なくて
浅いこと

4年　P141

洗

セン　あら-う

9画

形声

旅から帰って
足をきれいに
洗います

6年　P131

染

（セン）　そ-める

9画

会意

水にひたした
草木の色で
染めあげる

6年　P132

船

セン　ふね・ふな

11画

形声

なみにのる
おおきな舟が
船のこと

2年　P110

戦

セン　たたか-う

13画

会意

たて（単）と
ほこ（戈）
二つあわせて
戦の文字

4年　P142

銭

セン　（ぜに）

14画

形声

農具の形が
お金になった
銭の文字

6年　P133

線

セン

15画

形声

糸のように
ほそく
ながく
つづく線

2年　P111

選

セン　えら-ぶ

15画

形声

選ばれた
二人が
ならんで
おどる選

4年　P143

全

ゼン

まった-く

すべ-て

6画

象形

むかしの人の
こしかざり
完全なものが
全の文字

3年 P130

前

ゼン

まえ

9画

会意

足をあらって
つめを
きるのが
前の文字

2年 P112

善

ゼン

よ-い

12画

会意

羊をささげた
古代の裁判
善の文字

6年 P134

然

ゼン・ネン

12画

会意

犬の
肉をやき
においを天に
とどける然

4年 P144

祖

ソ

9画

形声

おそなえの
台であらわす
先祖の祖

5年 P147

素

ソ

(もと)

10画

象形

素の文字は
糸たばの
もとを
しばった形

5年 P148

組

ソ

くみ・く-む

11画

形声

たくさんの
糸をあわせて
あんだ
組みひも

2年 P113

早

ソウ

はや-い

6画

仮借

スプーンの
かたちが
いまは早いに
つかわれる

1年 P106

サ

争
ソウ
あらそ-う
6画
会意

ぼうを手で
引っぱりあって
争うよ

4年 P145

走
ソウ
はし-る
7画
象形

ふたつの手
おおきく
ふって
走りだす

2年 P114

奏
ソウ
(かな-でる)
9画
会意

天にむかって
楽器を
かなでる
奏の文字

6年 P135

相
ソウ
あい
9画
会意

目でじっと
木を
見ているよ
相の文字

3年 P131

草
ソウ
くさ
9画
形声

くさかんむりは
草のいみ
早はソウと
おとをあらわす

1年 P38

送
ソウ
おく-る
9画
形声

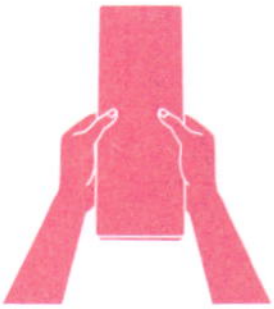

さあ、どうぞ
おくりものを
あなたに
送ります

3年 P132

倉
ソウ
くら
10画
象形

三角やね
こくもつを
たくわえておく
倉だ

4年 P146

巣
(ソウ)
す
11画
象形

木の上に
ひなが顔だす
鳥の巣だ

4年 P147

窓

ソウ
まど
11画
形声

もともとは
天窓のこと
窓の文字

6年 P136

創

ソウ
つく-る
12画
形声

もともとは
刀きずのこと
創の文字

6年 P137

装

ソウ
（よそお-う）
12画
形声

さまざまな
衣装で
身じたく
装うよ

6年 P138

想

ソウ
（おも-う）
13画
形声

目に
見えなくても
心のなかで
想像できる

3年 P133

層

ソウ
14画
形声

一層、二層と
かさなる
ことを
あらわす層

6年 P139

総

ソウ
（すべ-て）
14画
形声

糸をたばねて
ひとふさに
する
総の文字

5年 P149

操

ソウ
（あやつ-る）
16画
形声

多くの口《サイ》
木に
むすびつけて
手で操る

6年 P140

造

ゾウ
つく-る
10画
会意

もとはお参り
いまでは
ものを
造ること

5年 P150

像《ゾウ》

14画

形声

人と象でも
似すがた
あらわす
像の文字

5年 P151

増《ゾウ》

ま－す
ふ－える

14画

形声

土もうつわも
つみ重ねれば
増えていく

5年 P152

蔵《ゾウ》

（くら）

15画

形声

臣の字が
かくれて
いるよ
蔵のなか

6年 P141

臓《ゾウ》

19画

形声

体のなかで
はたらいて
いる内臓だ

6年 P142

束《ソク》

たば

7画

象形

束の字は
たきぎを
束ねて
くくった形

4年 P148

足《ソク》

あし・た－す

7画

象形

あしがたと
ひざの
さらから
できた足

1年 P20

則《ソク》

（のっと－る）

9画

会意

刀（刂）で
かなえに
きざんだ規則
が則の文字

5年 P153

息《ソク》

いき

10画

会意

自ははなで
心があって
息をする

3年 P134

速
ソク　はや-い
10画
形声

まきたばを
しっかり**速**く
たばねます
3年
P135

側
ソク　がわ
11画
形声

人のそば
かたわら
あらわす
側の文字
4年
P149

測
ソク　はか-る
12画
形声

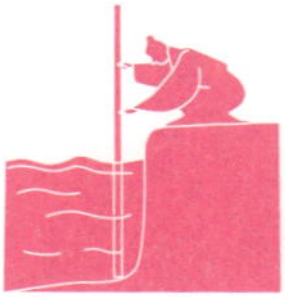

水の深さや
いろいろな
ものを
測るのが**測**
5年
P154

族
ゾク
11画
会意

一**族**が
はたを
かかげて
矢でちかう
3年
P136

属
ゾク
12画
会意

オスとメスが
つながる
ことから
できた**属**
5年
P155

続
ゾク　つづ-く
13画
形声

どこまでも
糸がつらなり
続いてる
4年
P150

卒
ソツ
8画
象形

死者のきものの
えりを
かさねて
むすんだ**卒**
4年
P151

率
(ソツ)　リツ　ひき-いる
11画
象形

糸たばを
ねじって
しぼる形が**率**
5年
P156

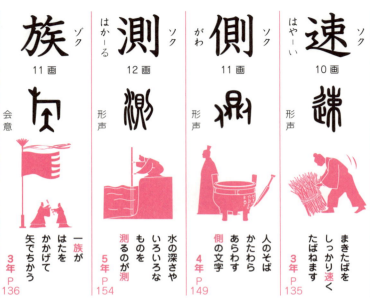

存
ソン・ゾン

6画

会意

子どもの
いのちが
守られている
生存の存

6年 P143

村
ソン　むら

7画

形声

ひとが
あつまり
すんでいる村

1年 P56

孫
ソン　まご

10画

会意

お祭りで
孫にかけてる
糸かざり

4年 P152

尊
ソン　とうと-い　たっと-い

12画

会意

酒だるを
手(寸)で
ささげもつ
尊の文字

6年 P144

損
ソン　(そこ-なう)

13画

会意

うつわの貝を
こわして
損ねる
損の文字

5年 P157

タ 行

他
タ　ほか

5画

形声

「ほか」のこと
にんべん
ついてる
他人の他

3年 P140

多

タ
おお-い
6画
会意

にく(夕)が
かさなりあって
多いこと

2年 P118

打

ダ
う-つ
5画
形声

手で
くぎの
あたまを
打ちつける

3年 P141

太

タイ・タ
ふと-い
4画
形声

もとは泰
いまは**太**に
かわった字

2年 P119

対

タイ
7画
会意

むきあって
土
うちかためる
対の文字

3年 P142

体

タイ
からだ
7画
形声

あたまから
しっぽの
さきまで
ぜんぶの**体**

2年 P120

待

タイ
ま-つ
9画
形声

寺の字に
ぎょうにんべん
で**待**つの文字

3年 P143

退

タイ
しりぞ-く
9画
会意

おそなえを
下げること
からできた
退

6年 P146

帯

タイ
おび
お-びる
10画
象形

ぬのを
たらした形の
帯だ

4年 P158

貸

（タイ）
かーす

12画

形声

貸すという
字は
代わりの貝と
かく字だよ

5年 P162

隊

タイ

12画

会意

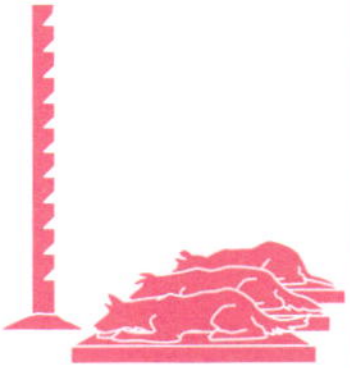

はしごの前に
けものが
いるよ
隊の文字

4年 P159

態

タイ

14画

形声

ふりをする
すがたや
態度を
あらわした態

5年 P163

大

ダイ・タイ
おおーきい

3画

象形

手と足を
大きくひろげ
大となる

1年 P100

代

ダイ・タイ
かーわる・よ

5画

形声

まじないの
どうぐで
きよめて
代がわり

3年 P144

台

ダイ・タイ

5画

会意

矢がさした
ところの
たてもの
台の文字

2年 P121

第

ダイ

11画

形声

第一、第二と
竹ふだ
たばねる
じゅんじょよく

3年 P145

題

ダイ

18画

形声

もともとは
おでこを
あらわす
題名の題

3年 P146

宅《タク》

6画

形声

もともとは
お宮にいること
いまは住む家
あらわす**宅**

6年
P147

達《タツ》

12画

形声

とまらずに
道をすいすい
すすむ**達**

4年
P160

担《タン》

(かつ-ぐ)

8画

形声

分**担**し
荷物を**担**いで
仕事を**担**う

6年
P148

単《タン》

9画

象形

単の字は
羽かざりを
つけた
武器のたて

4年
P161

炭《タン》

すみ

9画

会意

山のがけに
かまを
つくって
炭をやく

3年
P147

探《タン》

さが-す

11画

形声

穴のなか
手**探**り
しながら
探検だ

6年
P149

短《タン》

みじか-い

12画

形声

うつわと矢
ならべて
どちらも
短いよ

3年
P148

誕《タン》

15画

形声

言(ごんべん)に
延の字かいて
誕生の**誕**

6年
P150

団
ダン
6画
形声

まるめたものに
かこみ(囗)を
つけた
団の文字

5年 P164

男
ダン・ナン
おとこ
7画
会意

田と力
あわせて
できた
男の字

1年 P22

段
ダン
9画
会意

金属を
打って
きたえる形が
段

6年 P151

断
ダン
ことわ-る
(た-つ)
11画
会意

はたおりの
糸を
おの(斤)で
断ちきる断

5年 P165

暖
ダン
あたた-かい
13画
形声

ぽかぽかと
暖かいこと
あらわす暖

6年 P152

談
ダン
15画
形声

わいわいと
おしゃべり
かわす
談の文字

3年 P149

地
チ・ジ
6画
形声

かみさまが
地に
おりてくる
ところだよ

2年 P122

池
チ
いけ
6画
形声

水をひいて
おにわに
池を
つくります

2年 P123

知

チ
しーる
8画

会意

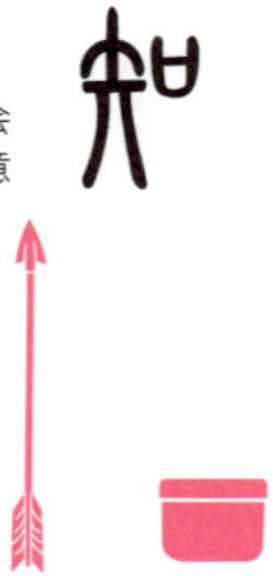

矢をおいて
ちかった
ことばを
知っておく

2年 P124

値

チ
ね
10画

形声

見れば見るほど
おなじ
値うちの
人どうし

6年 P153

置

チ
おーく
13画

形声

あみを置き
小鳥を
とらえる
置という字

4年 P162

竹

チク
たけ
6画

象形

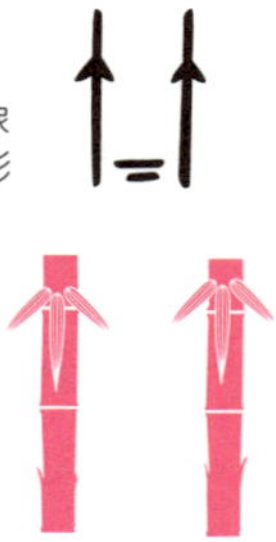

竹にほん
ならんで
たってる
かたちだよ

1年 P37

築

チク
きずーく
16画

形声

竹や木や
工具を
つかって
建物を築く

5年 P166

茶

チャ
9画

形声

お茶の茶
茶いろの茶
茶わんの茶

2年 P125

着

チャク
きーる
つーく
12画

形声

ぴったりと
からだに
つける
着物だよ

3年 P150

中

チュウ
ジュウ
なか
4画

象形

まんなかを
ぼうで
つらぬく
中の文字

1年 P86

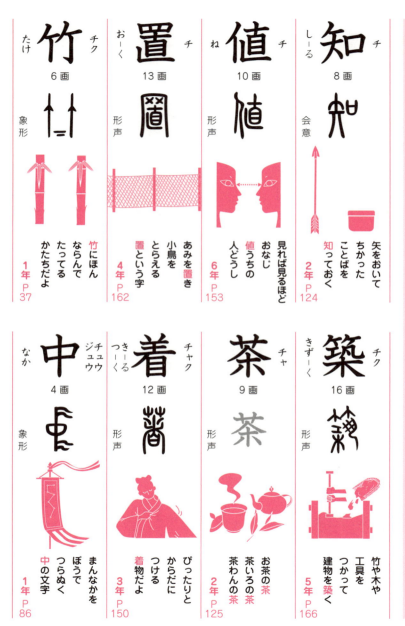

仲

なか
（チュウ）
6画
形声

兄弟の
なかほどの
子を
あらわした**仲**

4年
P163

虫

むし
チュウ
6画
会意

まむしながむし
へびのこと
むかしはどれも
みんな**虫**

1年
P30

沖

おき
（チュウ）
7画
形声

水ふかく
しずかな海の
沖にでる

4年
P164

宙

チュウ
8画
形声

宀（うかんむり）
に由の字
かいて
宇**宙**の**宙**

6年
P154

忠

チュウ
8画
形声

もともとは
まごころ
あらわす
忠の文字

6年
P155

注

そそ－ぐ
チュウ
8画
形声

あかりの火
きえない
ように
あぶらを**注**ぐ

3年
P151

昼

ひる
チュウ
9画
会意

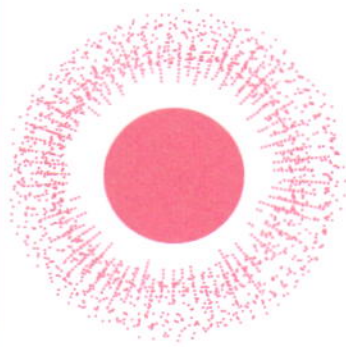

もとの字は
かさを
かぶった
昼のたいよう

2年
P126

柱

はしら
チュウ
9画
形声

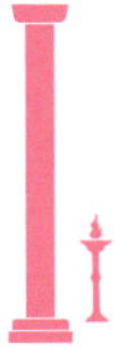

木でできた
柱がまっすぐ
立っている

3年
P152

著

チョ（あらわ－す）

11画

形声

あきらかな
ことや書き
あらわすこと
著という字

6年 P 156

貯

チョ

12画

形声

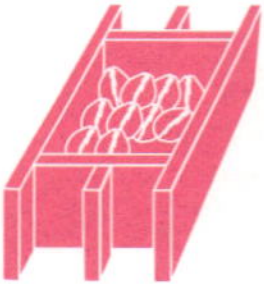

むかしむかしの
貯金箱
貝のお金を
入れました

5年 P 167

丁

チョウ

2画

象形

丁の字は
あたまの
ひらたい
くぎのこと

3年 P 153

庁

チョウ

5画

庁

形声

かたやねに
丁の字かいて
役所の庁

6年 P 157

兆

チョウ（きざ－し）

6画

象形

カメのこうらで
うらなった
ひびわれの線が
兆の文字

4年 P 165

町

チョウ　まち

7画

形声

もともとは
田の
あぜのこと
町の文字

1年 P 57

長

チョウ　なが－い

8画

象形

かみのけは
としより
だけが
長くした

2年 P 127

帳

チョウ

11画

形声

ぬのを長く
はりめぐらした
まくが帳

3年 P 154

張
チョウ
はーる
11画
形声

弓のつる
ぴんと
張るのが
張の文字
5年
P168

頂
チョウ
いただき
いただーく
11画
形声

丁と頁（おおがい）
てっぺん
あらわす
頂上の頂
6年
P158

鳥
チョウ
とり
11画
象形

よこむきに
とまった
すがた
鳥の文字
2年
P128

朝
チョウ
あさ
12画
会意

東のそうげん
日がのぼり
西のそらには
月みえる朝
2年
P129

腸
チョウ
13画
形声

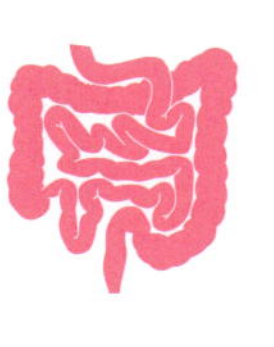

月はにくづき
おなかの
なかの
腸のこと
6年
P159

潮
チョウ
しお
15画
形声

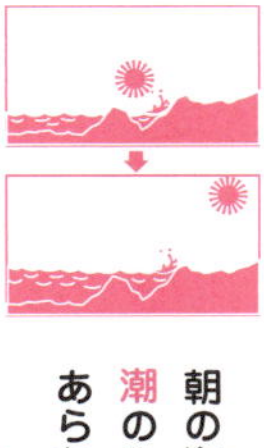

朝の海
潮のみちひき
あらわす潮
6年
P160

調
チョウ
しらーべる
（ととのーう）
15画
形声

ととのった
もようの
ように
調和する
3年
P155

直
チョク・ジキ
なおーす
ただーちに
8画
会意

まちがいを
みつけて直す
とくべつな目
2年
P130

賃

チン

13画

形声

任務にはらう
お金のことを
賃金という

6年

P161

追

ツイ

お-う

9画

会意

おそなえの
肉を
ささげて
敵を追う

3年

P156

通

ツウ

とお-る
かよ-う

10画

形声

こっちから
むこうへ
通りぬけられる

2年

P131

痛

ツウ

いた-い

12画

形声

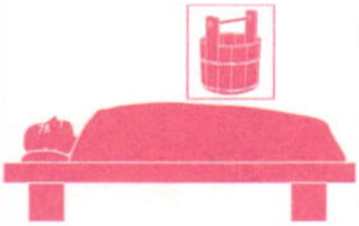

疒(やまいだれ)
ずんと痛みが
つきぬける

6年

P162

低

テイ

ひく-い

7画

形声

にんべんで
人がしせいを
低くする

4年

P166

弟

ダイ
(テイ)

おとうと

7画

象形

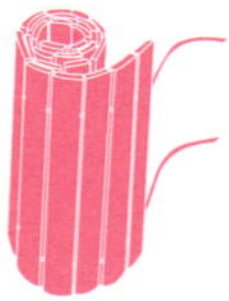

弟の字は
じゅんばんに
ものを
たばねた形

2年

P132

定

テイ・ジョウ

さだ-める

8画

会意

たてものは
正しく
たてれば
安定するよ

3年

P157

底

テイ

そこ

8画

形声

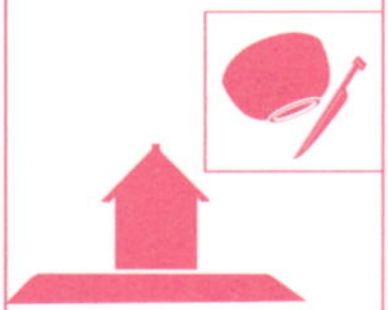

たてものの
下はたいらだ
底の文字

4年

P167

タ

庭
テイ
にわ
10画

形声

宮でんのぎしきをおこなうばしょが庭
3年
P158

停
テイ
11画

形声

長い道のり宿屋にとまることが停
5年
P169

提
テイ
(さ-げる)
12画

形声

手に持つことぶらさげることをあらわした提
5年
P170

程
テイ
(ほど)
12画

形声

豊作をいのりやがてその量はかった程
5年
P171

的
テキ
まと
8画

形声

あきらかにはっきり見える弓の的
4年
P168

笛
テキ
ふえ
11画

形声

中はくうどう竹でつくった笛のこと
3年
P159

適
テキ
14画

形声

帝をつぐのにふさわしいことあらわした適
5年
P172

敵
テキ
15画

形声

むちをもち(攵)はむかう者をあらわした敵
6年
P163

鉄
テツ
13画
鐵
形声

鉄はくろがね
かたくて
つよい
金属の鉄

3年 P160

天
テン
あま
4画
天
象形

人のあたまの
てっぺん
あらわす
天の文字

1年 P88

典
テン
8画
典
会意

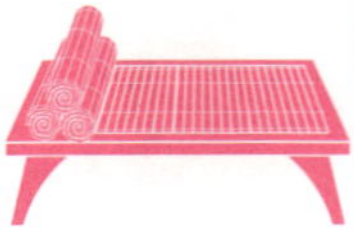

つくえの上に
書物を
ならべた
典の文字

4年 P169

店
テン
みせ
8画
店
形声

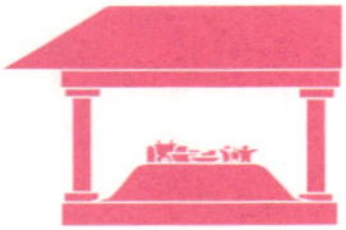

たてものの
なかで
ものをうる
お店

2年 P133

点
テン
9画
點
形声

、、、、《てんてんてんてん》と
黒い点うつ
点の文字

2年 P134

展
テン
10画
展
会意

広げることや
ならべる
ことを
あらわす展

6年 P164

転
テン
ころ-がる
11画
轉
形声

まるめた
ものが
車輪のように
転がった

3年 P161

田
デン
た
5画
田
象形

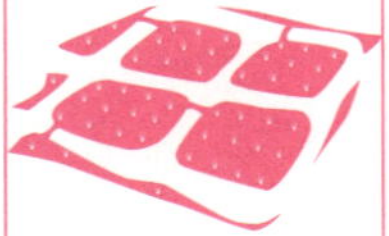

あぜみちで
しかくく
くぎる
米をつくる田

1年 P48

伝
デン
つた-える
6画

会意

人がふくろを
せおって
運ぶ
伝の文字
4年
P170

電
デン
13画

会意

雨がふり
いなずま
はしる
電気の電
2年
P135

徒
ト
10画

形声

てくてくと
歩いていくよ
徒歩の徒だ
4年
P171

都
ト・ツ
みやこ
11画

形声

土手のなか
まよけを
うめて
まもった都
3年
P162

土
ド・ト
つち
3画

象形
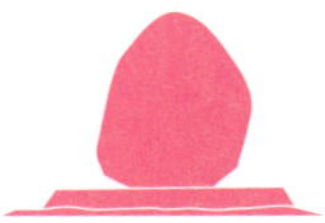
土のかみ
くさの
いのちを
そだてます
1年
P46

努
ド
つと-める
7画

形声

すき(力)を
持ち
田畑のしごとに
努めます
4年
P172

度
ド
(たび)
9画

会意

しきものを
ひろげて
長さを
はかる度だ
3年
P163

刀
トウ
かたな
2画

象形

ぴかぴかに
ひかる刀は
よく切れる
2年
P136

冬

トウ
ふゆ
5画
象形

糸の
りょうはし
むすんだ形が
冬につかわれ

2年
P137

灯

トウ
(ひ)
6画
形声

火をともし
まわりを
てらす
ともしびの灯

4年
P173

当

トウ
あ-たる
6画
形声

もともとは
田うえの
おまつり
あらわした当

2年
P138

投

トウ
な-げる
7画
会意

投げやりを
手にもつ
かたちの
投の文字

3年
P164

豆

トウ・ズ
まめ
7画
象形

まめじゃなく
食器の
かたちから
できた豆

3年
P165

東

トウ
ひがし
8画
仮借

ものをつめた
ふくろの
かたちが
東につかわれ

2年
P139

島

トウ
しま
10画
会意

海鳥が
岩にとまった
かたちが島

3年
P166

討

トウ
(う-つ)
10画
形声

討ちとる
ことや
検討すること
あらわす討

6年
P165

党
トウ
10画
形声

同じかまどの
飯を食う
仲間のことだ
党の文字

6年
P166

湯
トウ
ゆ
12画
形声

水をくみ
あたためたなら
お湯になる

3年
P167

登
トウ・ト
のぼ-る
12画
会意

ふみ台に
両足のせて
登ります

3年
P168

答
トウ
こた-え
12画
形声

ふたがぴったり
合うように
問いにぴったり
合う答え

2年
P140

等
トウ
ひと-しい
12画
形声

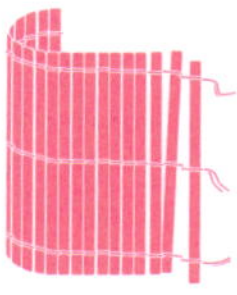

竹のふだ
長さがどれも
等しいよ

3年
P169

統
トウ
(す-べる)
12画
形声

たくさんの
糸を集めて
まとめる統

5年
P173

糖
トウ
16画
形声

米から
つくった
あまい水あめ
糖の文字

6年
P167

頭
トウ・ズ
あたま
16画
形声

豆《とう》という
うつわにも
にた
頭のかたち

2年
P141

同 ドウ おな-じ 6画

会意

同じところに
あつまって
お酒をそそいだ
うつわの同
2年 P142

動 ドウ うご-く 11画

形声

すき(力)を
もち
たがやす体は
よく動く
3年 P170

堂 ドウ 11画

形声

土をもって
たてた
りっぱな
神殿が堂
5年 P174

童 ドウ (わらべ) 12画

形声

かみの毛の
まだみじかい
子どもが童
3年 P171

道 ドウ みち 12画

会意

おおむかし
てきの首もち
道をすすんだ
2年 P143

働 ドウ はたら-く 13画

形声

人が
動いて
働いている
4年 P174

銅 ドウ 14画

形声

お金や
うつわを
つくる材料
金属の銅
5年 P175

導 ドウ みちび-く 15画

形声

道をきよめて
進む形の
導の文字
5年 P176

タ

特
トク
10画
形声

特別な
りっぱな
オス牛
あらわした特

4年 P175

得
トク
え-る
11画
会意

よそに
出かけて
貝を手に入れ
得をした

5年 P177

徳
トク
14画
会意

見きわめる
目に
心をくわえた
徳の文字

4年 P176

毒
ドク
8画
象形

かみかざりを
つけた
すがたが
毒につかわれ

5年 P178

独
ドク
ひと-り
9画
形声

一ぴきの
オスの
けものを
あらわした独

5年 P179

読
ドク・トウ
よ-む
14画
形声

だいじな文は
おおきな
こえで
読みあげる

2年 P144

栃
とち
9画
国字

実をつける
大きな
トチノキ
栃木の栃

4年 P177

届
とど-く
8画
会意

届くという
字は
地中に死者を
ほうむる形

6年 P168

ナ行

奈

ナ

8画

形声

大きな果実が
なる木かも
しれない
奈という字

4年 P178

内

ナイ
うち

4画

象形

入りぐちから
はいれば
そこは
いえの内

2年 P148

梨

なし

11画

形声

木のうえに
利の字を
かいて
あまい梨

4年 P179

南

ナン
みなみ

9画

象形

南の人びと
うちならす
がっきの形
南の文字

2年 P149

難

ナン
むずか-しい

18画

会意

鳥(隹)を
おどかし
なやますこと
からできた難

6年 P169

二

ニ
ふた-つ

2画

指事

ぼう
にほん
ならべて
つくった二

1年 P69

肉

ニク

6画

象形

きんにくの
かたちから
できた
肉の文字

2年 P150

ナ

日

ニチ・ジツ

ひ・か

4画

象形

あおいそら
まるく
まぶしく
かがやく日

1年 P50

入

ニュウ

い-れる
はい-る

2画

象形

くらのなか
だいじな
ものを
入れておく

1年 P94

乳

ニュウ

ちち

8画

会意

子どもに乳を
のませる
ようすが
乳の文字

6年 P170

任

ニン

まか-せる

6画

形声

任の字は
人が重さに
たえること

5年 P180

認

（ニン）

みと-める

14画

形声

自分の
ものだと
言って
認めさせる認

6年 P171

熱

ネツ

あつ-い

15画

会意

あたたかくて
木がよく育つ
熱の文字

4年 P180

年

ネン

とし

6画

会意

いねをかぶって
一年の
ほうさくを
いのります

1年 P117

念

ネン

8画

形声

心のなかに
とじこめ
じっと
おもう念

4年 P181

燃
ネン
も－える
16画

形声

然の字に火をつけたして燃えるという字

5年
P181

納
ノウ
おさ－める
10画

形声

織物で税を納めた納の文字

6年
P172

能
ノウ
10画

象形

水にすむ虫の形からできた能

5年
P182

脳
ノウ
11画

形声

頭の上に毛が三本月(にくづき)ついてる脳の文字

6年
P173

農
ノウ
13画

会意

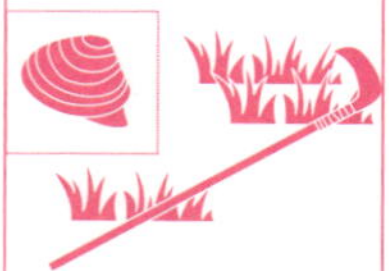

貝がらで草やイネかる農の文字

3年
P172

ハ行

波
ハ
なみ
8画

形声

うねうねとなめらかに皮のようによせる波

3年
P176

派

ハ

9画

形声

水の流れが
えだ分かれ
する
派の文字だ

6年
P176

破

ハ
やぶ-る

10画

形声

石と皮で
石がくだけて
こわれる破

5年
P186

馬

バ
うま・ま

10画

象形

四本足
たてがみ
ふって
はしる馬

2年
P151

拝

ハイ
おが-む

8画

会意

拝の字は
かがんで花を
ぬきとる形

6年
P177

背

ハイ
せ・せい

9画

形声

北の字に
月(にくづき)
つけて
背中の背

6年
P178

肺

ハイ

9画

形声

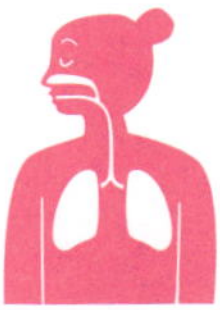

息をする
働きになう
肺の文字

6年
P179

俳

ハイ

10画

形声

おもしろ
おかしく
演じることだよ
俳優の俳

6年
P180

配

ハイ
くば-る

10画

会意

えんかいの
酒は
みんなに
配ります

3年
P177

敗

ハイ
やぶ-れる
11画
会意

たからものを
ぼうで
打ちつけ
こわす**敗**

4年
P186

売

バイ
う-る
7画
会意

買ったものが
出ていく
かたちの
売るの文字

2年
P152

倍

バイ
10画
形声

草木の実
うれて
はじけて
倍になる

3年
P178

梅

バイ
うめ
10画
形声

きへんに毎で
春に花さく
梅のこと

4年
P187

買

バイ
か-う
12画
会意

あみで貝を
すくうように
ものを**買**う

2年
P153

白

ハク
しろ・しら
5画
象形

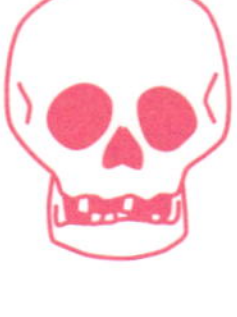

もともとは
がいこつの色
白の文字

1年
P102

博

ハク
12画
形声

ひろいこと
ひろめる
ことを
あらわす**博**

4年
P188

麦

（バク）
むぎ
7画
会意

ふゆがきた
麦ふみをして
ねをまもろう

2年
P154

箱

はこ

15画

形声

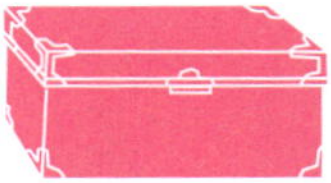

相の字に
たけかんむりで
箱になる

3年

P179

畑

はたけ・はた

9画

国字

火と田んぼ
あわせて
つくった
畑の字

3年

P180

八

ハチ

や・やっ-つ・よう

2画

指事

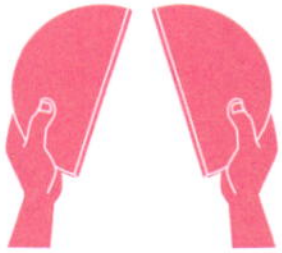

はんぶんこ
ふたつに
わける
八の文字

1年

P75

発

ハツ

9画

会意

弓をいる
いくさの
合図が
出発の発

3年

P181

反

ハン

そ-る

4画

会意

がけに
手をかけ
よじのぼる形
が反の文字

3年

P182

半

ハン

なか-ば

5画

象形

半の字は
牛を半分に
するかたち

2年

P155

犯

ハン

(おか-す)

5画

会意

犭(けものへん)
しては
ならない
ことが犯

5年

P187

判

ハン・バン

7画

形声

半分こ
二つに分ける
判の文字

5年

P188

坂

（ハン）
さか

7画

形声

がけのように
急な坂道
あらわす坂

3年
P183

阪

ハン
（さか）

7画

形声

がけのそば
はしごが
あるよ
阪の文字

4年
P189

板

ハン・バン
いた

8画

形声

木のみきを
おので
けずって
つくる板

3年
P184

版

ハン

8画

形声

版築という
土木工事の
型板が版

5年
P189

班

ハン

10画

会意

つづった玉を
刀（刂）で
分ける形の班

6年
P181

飯

ハン
めし

12画

形声

しょくへん
（飠）に
反の字かいて
ご飯の飯

4年
P190

晩

バン

12画

形声

日がくれて
すっかり
暗くなれば晩

6年
P182

番

バン

12画

象形

もともとは
けものの
あしうら
順番の番

2年
P156

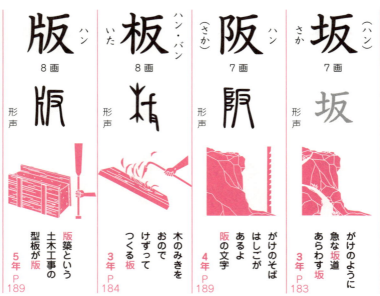

ハ

比
ヒ
くら-べる
4画

会意

右むきの
二人のひとが
ならんだ**比**
5年
P190

皮
ヒ
かわ
5画

象形

けものから
手で
はぎとって
皮にする
3年
P185

否
ヒ
（いな）
7画

会意

神さまが
うんと
言わない
否の文字だ
6年
P183

批
ヒ
7画

形声

扌（てへん）と比
バシッと
打つこと
批という字
6年
P184

肥
ヒ
こ-える
こえ
8画

会意

月（にくづき）と
人のすがたで
あらわす**肥**
5年
P191

非
ヒ
（あら-ず）
8画

象形
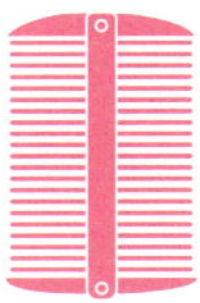
右と左に
歯のある
くしの形が**非**
5年
P192

飛
ヒ
と-ぶ
9画

象形

羽を
ひろげて
空**飛**ぶ鳥の
すがたが**飛**
4年
P191

秘
ヒ
（ひ-める）
10画

形声

必をつかった
秘密の
ぎしきを
あらわす**秘**
6年
P185

悲
ヒ
かな-しい
12画

形声

非に心
悲しい
気もちを
あらわす字
3年
P186

費
ヒ
（つい-やす）
12画

形声

費の文字は
貝のお金を
むだづかい
5年
P193

美
ビ
うつく-しい
9画

象形

りっぱな羊
からだ
ぜんたい
美しい
3年
P187

備
ビ
そな-える
12画

形声

矢を入れた
箱をせおって
いくさに
備える
5年
P194

鼻
（ビ）
はな
14画

形声

さいしょは自
鼻という字は
あとから
できた
3年
P188

必
ヒツ
かなら-ず
5画

象形

武器の刃を
柄《え》に
とりつける
必の文字
4年
P192

筆
ヒツ
ふで
12画

会意

竹でつくった
筆を手にもつ
かたちだよ
3年
P189

百
ヒャク
6画

指事

白の字に
一を
くわえて
百とする
1年
P78

氷

ヒョウ
こおり
5画
象形

てんをうち
水がこおって
かたまる**氷**

3年 P190

表

ヒョウ
おもて
あらわ-す
8画
会意

けものの皮
毛の
あるほうが
表だよ

3年 P191

俵

ヒョウ
たわら
10画
形声

イ(にんべん)
と表
わらでつくった
土**俵**や**俵**

6年 P186

票

ヒョウ
11画
会意

ひらひらと
火の粉が
まうよ
票の文字

4年 P193

評

ヒョウ
12画
形声

公平に
ことばで相談
したことが**評**

5年 P195

標

ヒョウ
15画
形声

高い木を
目じるしに
する
標の文字

4年 P194

秒

ビョウ
9画
会意

秒の字は
ほそくて小さな
のぎから
できた

3年 P192

病

ビョウ
やまい
10画
形声

病人が
ねどこに
ねている
病だよ

3年 P193

品

ヒン
しな
9画
会意

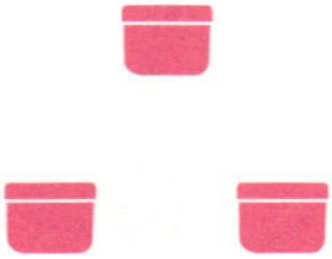

ねがいは
いろいろ
𠙵《サイ》をならべた
品の文字

3年 P194

貧

（ヒン）ビン
まず-しい
11画
会意

貝のお金を
分ければ
少なく
貧しいよ

5年 P196

不

フ・ブ
4画
仮借

不という字
「そうではない」
といういみだ

4年 P195

夫

フ
おっと
4画
象形

けっこん式
かんざしを
さした
すがたの夫

4年 P196

父

フ
ちち
4画
会意

おのを手に
はたらく
すがたの
父の文字

2年 P157

付

フ
つ-く
5画
会意

手でものを
人にわたす
形の付

4年 P197

布

フ
ぬの
5画
形声

もともとは
麻でつくった
きれが布

5年 P197

府

フ
8画
形声

国の書類を
しまっておく
くら
あらわす府

4年 P198

阜

フ

8画

象形

阜の文字は
聖地にたてた
はしごの
かたち

4年 P199

負

フ

お-う
ま-ける

9画

会意

負けるという
字は
人がおかね(貝)
をせおった形

3年 P195

婦

フ

11画

形声

みたまやを
清める
女の人の
婦だ

5年 P198

富

フ

とみ・と-む

12画

形声

やねの下
たるの
畐《ふく》おき
富の文字だ

4年 P200

武

ブ・ム

8画

会意

ほこを持ち
足を進める
形が武

5年 P199

部

ブ

11画

形声

全体を
いくつかに
わけた
部分の部

3年 P196

風

フウ

かぜ・かざ

9画

形声

いきものの
すがたの
神が
風をよぶ

2年 P158

服

フク

8画

形声

こうさんだ
したがいます
とちかう服

3年 P197

ハ

副
フク
11画

形声

酒だるを
まっぷたつに
して
わける**副**
4年
P201

復
フク
12画

形声

彳(ぎょうにんべん)
帰り道だよ
復の文字
5年
P200

福
フク
13画

形声

酒のたる
おそなえに
して
福まねく
3年
P198

腹
フク
はら
13画

形声

ふくらんだ
器のような
人間の**腹**
6年
P187

複
フク
14画

形声
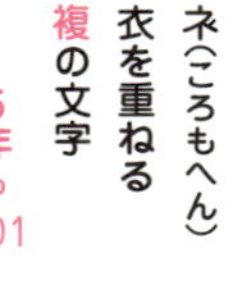
ネ(ころもへん)
衣を重ねる
複の文字
5年
P201

仏
ブツ
ほとけ
4画

形声
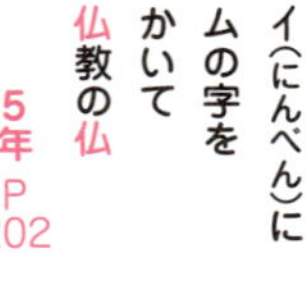
イ(にんべん)に
ムの字を
かいて
仏教の**仏**
5年
P202

物
ブツ・モツ
もの
8画

形声
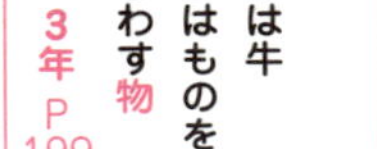
もとは牛
いまはものを
あらわす**物**
3年
P199

粉
フン
こな・こ
10画

形声
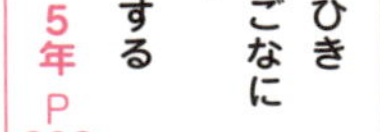
米をひき
こなごなに
して
粉にする
5年
P203

奮

フン
ふる-う
16画

会意

えりもとから
鳥(隹)が
とびたつ
奮の文字

6年 P188

分

ブン・フン
わ-ける
4画

会意
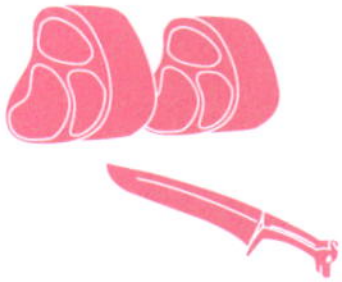

ひとつの
ものを
刀でふたつに
分けること

2年 P159

文

ブン・モン
(ふみ)
4画

象形

むねにかいた
まよけの
しるし
文の文字

1年 P116

聞

ブン
き-く
14画

形声

おおむかし
かみさまの
こえを
聞けるひと

2年 P160

平

ヘイ・ビョウ
たい-ら
ひら
5画

会意

おので木を
平らにけずる
かたちの**平**

3年 P200

兵

ヘイ・ヒョウ
7画

会意

おの(斤)を
両手で
かかげているよ
兵士の**兵**

4年 P202

並

(ヘイ)
なら-ぶ
なみ
8画

会意

人ふたり
並んで
立ってる
形だよ

6年 P189

陛

ヘイ
10画

形声

土の階段
ふたりの人が
ならぶ**陛**

6年 P190

閉

ヘイ

と-じる　し-める

11画

会意

才を立て
入れませんと
門を閉じ

6年 P191

米

ベイ・マイ

こめ

6画

象形

みのったら
ばらばらに
して
米とする

2年 P161

別

ベツ

わか-れる

7画

会意

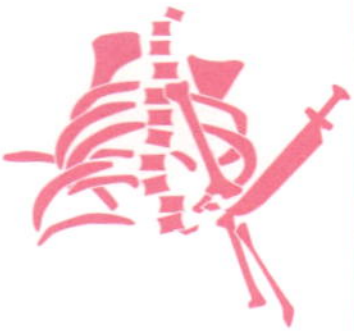

ほねの関節
刀で切って
別べつに

4年 P203

片

(ヘン)

かた

4画

象形

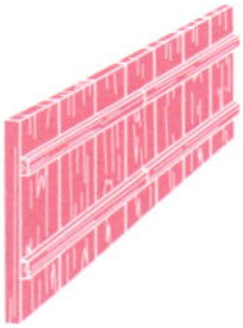

工事に
つかった
板の片方
それが片

6年 P192

辺

ヘン

あた-り・べ

5画

形声

国ざかい
どくろの
まじない
辺の文字

4年 P204

返

ヘン

かえ-す

7画

形声

がけのぼり
くり返したけど
ひき返す

3年 P201

変

ヘン

か-わる

9画

会意

ちかったことを
やぶって
変える
変の文字

4年 P205

編

ヘン

あ-む

15画

形声

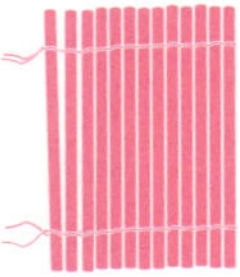

文字札を
ひもで
つづって
書物に編む

5年 P204

弁

ベン

5画

形声

裁判で
あらそい
さばく
弁の文字

5年

P205

便

ベン・ビン

たよ-り

9画

会意

むちで打ち
したがわせる
のが
便の文字

4年

P206

勉

ベン

(つと-める)

10画

形声

すきをもち
田畑の
しごとに
つとめる勉

3年

P202

歩

ホ

ある-く
あゆ-む

8画

会意

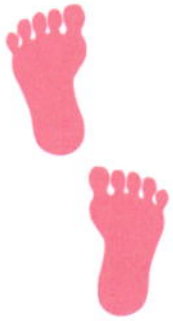

みぎあしと
ひだりの
あしで
歩きだす

2年

P162

保

ホ

たも-つ

9画

会意

赤ちゃんの
いのちを
まもる
保の文字だ

5年

P206

補

ホ

おぎな-う

12画

形声

いたんだ衣を
つくろい
補う
補の文字だ

6年

P193

母

ボ

はは

5画

象形

ふたつてん
おおきな
おっぱい
母の文字

2年

P163

墓

ボ

はか

13画

形声

土をほり
つくった
お墓を
あらわす字

5年

P207

暮
(ボ)
くーれる
14画

形声

草原に
日が
おちてゆく
日暮れだよ
6年
P194

方
ホウ
かた
4画

象形

おおむかし
むらの
四方にした
まよけ
2年
P164

包
ホウ
つつーむ
5画

象形

おなかのなかに
赤ちゃんが
いるよ
包むの字
4年
P207

宝
ホウ
たから
8画

形声

やねの下
玉や貝やの
宝もの
6年
P195

放
ホウ
はなーす
ほうーる
8画

会意

あくりょうを
はらう
まじない
放の文字
3年
P203

法
ホウ
8画

会意

さいばんに
負けたら
水に
流される法
4年
P208

訪
ホウ
たずーねる
11画

形声

人を訪ねて
どうでしょうか
と問うてみる
6年
P196

報
ホウ
(むくーいる)
12画

会意

もともとは
しかえし
すること
あらわす報
5年
P208

ハ

豊

ホウ
ゆた-か
13画

象形

豆《とう》の上
おそなえ
たっぷり
豊かにあるよ

5年 P209

亡

ボウ
(な-い)
3画

象形

死者のほねの
形からできた
亡の文字

6年 P197

忘

(ボウ)
わす-れる
7画

形声

心と亡で
記憶が
ないこと
忘れること

6年 P198

防

ボウ
ふせ-ぐ
7画

形声

くにざかい
まよけを
おいて
まもる防

5年 P210

望

ボウ
のぞ-む
11画

形声

せのびして
遠くを望んで
見る形

4年 P209

棒

ボウ
12画

形声

もともとは
大きな
木のつえ
それが棒

6年 P199

貿

ボウ
12画

形声

二つのものを
交換するのが
貿易の貿

5年 P211

暴

ボウ
あば-れる
15画

会意

死んだけものが
日に
さらされる
暴の文字

5年 P212

北

ホク
きた
5画

会意

ふたりの人が
せなか
あわせの
北の文字
2年
P165

木

ボク・モク
き・こ
4画

象形

みきがのび
えだに
わかれた
木のかたち
1年
P34

牧

ボク
（まき）
8画

会意

牧場で
木の枝をもち
牛をおう
4年
P210

本

ホン
もと
5画

指事

木の**本**は
ここだと
しるしの
せんをひく
1年
P87

マ行

毎

マイ
6画

象形

かみをゆい
母が**毎**日
おまいりを
する
2年
P168

妹

（マイ）
いもうと
8画

形声

おんなへんに
末をかいて
妹のこと
2年
P169

枚

マイ
8画

会意

けずった板を
一**枚**、二**枚**と
数えます
6年
P202

幕

マク・バク

13画

形声

ぬの(巾)を
はり
おおいかくす
のが幕の文字

6年 P203

末

マツ　すえ

5画

指事

木の末は
ここだと
しるしの
線を引く

4年 P211

万

マン

3画

象形

さそりの
かたちが
数字の万(萬)
につかわれた

2年 P170

満

マン　み-ちる

12画

形声

もともとは
満ちあふれる
水
満の文字

4年 P212

未

ミ

5画

象形

木の枝が
まだまだ
のびそう
未の文字だ

4年 P213

味

ミ　あじ

8画

形声

いい味の
草木の新芽
あらわす味

3年 P208

密

ミツ

11画

会意

お宮のなかで
必をつかって
秘密のぎしき

6年 P204

脈

ミャク

10画

会意

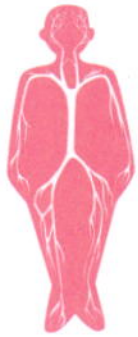

川のように
体を流れる
血の脈だ

5年 P216

民

ミン

（たみ）

5画

象形

神につかえる
盲目《もうもく》の人
あらわした民

4年 P214

務

ム

つと-める

11画

形声

すき（力）を
持ち
畑仕事に
務めます

5年 P217

無

ム・ブ

な-い

12画

仮借

そでをふり
舞《ま》う人の
すがたが
無につかわれた

4年 P215

夢

ム

ゆめ

13画

会意

夕やみに
見る夢は
きっと
夢魔《むま》のせい

5年 P218

名

メイ・ミョウ

な

6画

会意

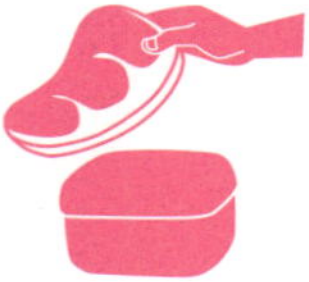

みやまいり
子どもに
ほんとうの
名をつける

1年 P115

命

メイ

いのち

8画

会意

おおむかし
神のおつげを
あらわした命

3年 P209

明

メイ・ミョウ

あか-るい
あ-ける

8画

会意

まどから
月のひかりが
さしこんで
明るい

2年 P171

迷

（メイ）

まよ-う

9画

形声

心が迷って
道に迷うのが
迷の文字

5年 P219

盟
メイ

13画

会意

月明かり
皿に血を入れ
ちかう盟

6年
P205

鳴
メイ
なーく　なーる

14画

会意

おおむかし
鳥の
鳴きごえで
うらなった

2年
P172

面
メン
(おもて)

9画

象形

お面から
目だけが
見えてる
かたちの面

3年
P210

綿
メン
わた

14画

会意

ふわふわの
綿が
糸や布になる
綿

5年
P220

模
モ・ボ

14画

形声

お手本や
型をあらわす
模の文字だ

6年
P206

毛
モウ
け

4画

象形

ふさふさと
ながく
のびてる
あたまの毛

2年
P173

目
モク
め

5画

象形

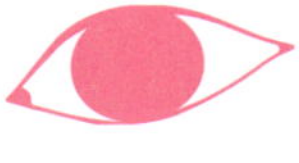

まるいのに
いつか
しかくに
かわった目

1年
P17

門
モン
(かど)

8画

象形

りょうがわに
ひらいて
人がとおる門

2年
P174

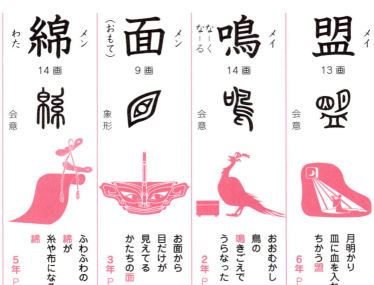

問
モン
とーう
11画
会意

𠙵《サイ》をおき
ねがいが
かなうか
門で問う

3年
P211

ヤ行

夜
ヤ
よる・よ
8画
会意

月（夕）がでて
人かげできる
夜のこと

2年
P175

野
ヤ
の
11画
形声

野のもとは
しばをかる
山の
まもりがみ

2年
P176

役
ヤク
7画
会意

ぶきを手に
遠くに
でかけて
まもる役

3年
P212

約
ヤク
9画
形声

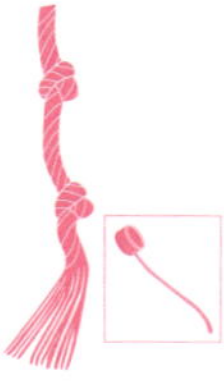

糸やなわ
むすんで
かたく
約束をする

4年
P218

訳
ヤク
わけ
11画
形声

ちがう言語を
通訳すること
訳の文字

6年
P207

薬

ヤク
くすり

16画

形声

くさかんむりに
楽の字かいて
薬だよ

3年 P213

由

ユ・ユウ

5画

象形

ひょうたんの
かたちから
できた
自由の由

3年 P214

油

ユ
あぶら

8画

形声

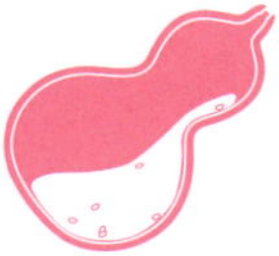

ひょうたんの
なかみが
どろどろ
油のようだ

3年 P215

輸

ユ

16画

形声

車でものを
運んでよそに
うつす輸だ

5年 P221

友

ユウ
とも

4画

会意

手をにぎり
やくそく
かわす
友と友

2年 P177

有

ユウ
あ-る

6画

会意

右の手に
肉(月)を
もってる
有の字だ

3年 P216

勇

ユウ
いさ-む

9画

形声

わき水の
ように
力がわいて
勇ましい

4年 P219

郵

ユウ

11画

会意

国ざかいまで
手紙を
とどける
郵便だ

6年 P208

遊
ユウ
あそ-ぶ
12画

形声

はたを立て
神と
いっしょに
旅して遊ぶ
3年
P217

優
ユウ
（やさ-しい）
（すぐ-れる）
17画

形声

悲しみに
しずむ
すがたの
優の文字
6年
P209

予
ヨ
4画

形声

これからの
ことを
うらなう
予告の予
3年
P218

余
ヨ
あま-る
7画

形声

食べものが
たくさん
あって
余ったよ
5年
P222

預
ヨ
あず-ける
13画

形声

あらかじめ
預けて
おくこと
預金の預
6年
P210

幼
ヨウ
おさな-い
5画

象形

糸たばを
ねじる形の
幼の文字
6年
P211

用
ヨウ
もち-いる
5画

象形

用の字は
木をくんで
つくった
かきねだよ
2年
P178

羊
ヨウ
ひつじ
6画

象形

おとなしく
角のきれいな
羊だよ
3年
P219

ヤ

洋

ヨウ

9画

形声

さんずいに羊
ひろびろとした
海が大洋

3年

P220

要

ヨウ
かなめ

9画

象形

腰《こし》という字の
もとの形が
要の字だ

4年

P220

容

ヨウ

10画

会意

やねの下
かすかに
すがたが
見える容

5年

P223

葉

ヨウ
は

12画

形声

えだ三本
えだの先には
葉があるよ

3年

P221

陽

ヨウ

12画

形声

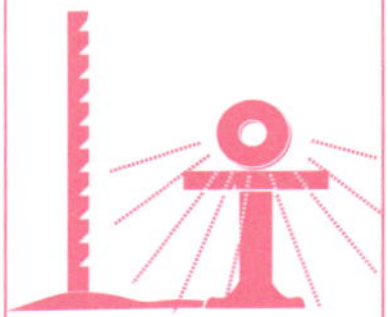

はしごのまえ
玉の光が
かがやく陽

3年

P222

様

ヨウ
さま

14画

形声

文様や
様子を
あらわす
様の字だ

3年

P223

養

ヨウ
やしな-う

15画

形声

もともとは
羊をかうこと
養うこと

4年

P221

曜

ヨウ

18画

形声

たいようの
かがやき
あらわす
日曜の曜

2年

P179

浴

ヨク
あ－びる
10画

形声

水を浴び
体をきよめる
浴の文字

4年
P222

欲

ヨク
(ほ－しい)
11画

形声

神さまの
すがたを
見たいと
欲《ほっ》する欲

6年
P212

翌

ヨク
11画

形声

羽と立
あしたの
ことだよ
翌の文字

6年
P213

ラ行

来

ライ
く－る
7画

象形

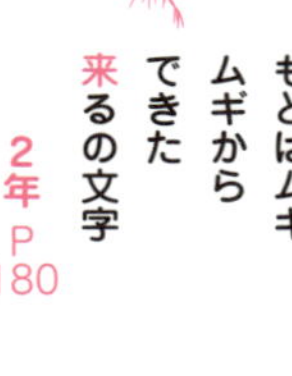

もとはムギ
ムギから
できた
来るの文字

2年
P180

落

ラク
お－ちる
12画

形声

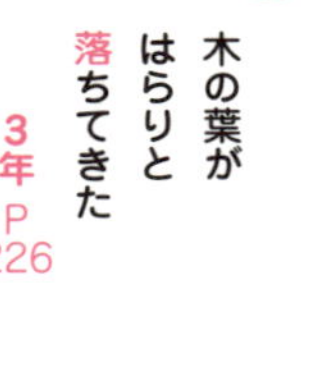

木の葉が
はらりと
落ちてきた

3年
P226

乱

ラン
みだ－れる
7画

会意

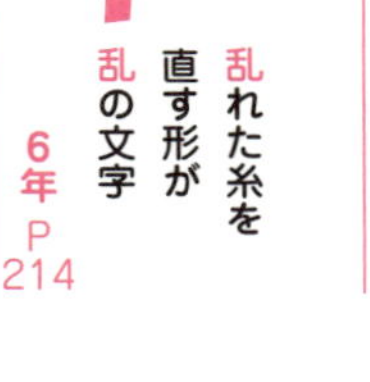

乱れた糸を
直す形が
乱の文字

6年
P214

卵

（ラン）

たまご

7画

象形

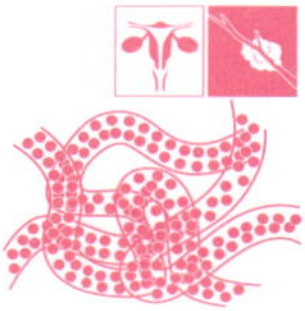

左右にふたつ
卵がついてる
卵の文字

6年

P215

覧

ラン

17画

会意

水かがみに
すがたを
うつして
見る覧だ

6年

P216

利

リ

7画

会意

イネ(禾)を
刃物で
かりとって
もうけることを
あらわす利

4年

P223

里

リ

さと

7画

会意

田と土で
田んぼを
まもる
里の文字

2年

P181

理

リ

11画

形声

うつくしい
ほうせきの
もよう
理科の理だ

2年

P182

裏

（リ）

うら

13画

形声

衣のなかに
里をかいて
衣の裏がわ
あらわした

6年

P217

陸

リク

11画

形声

テントを
はって
神をむかえる
ところが陸

4年

P224

立

リツ

た-つ

5画

会意

手をひろげ
ひとが
まっすぐ
立つすがた

1年

P92

律
リツ
9画

形声

法**律**をさだめて広く知らしめる
6年
P218

略
リャク
11画

形声

田畑のさかいめさだめて土地をおさめた**略**
5年
P224

流
リュウ
ながーれる
10画

会意

もともとは子どもが水に**流**されること
3年
P227

留
リュウ・ル
とーめる
10画

会意

田んぼのそばに水をためるよ**留**の文字
5年
P225

旅
リョ
たび
10画

会意
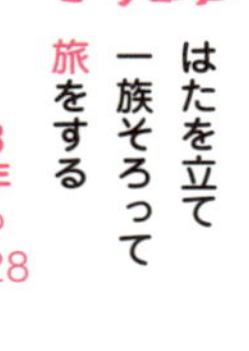
はたを立て一族そろって**旅**をする
3年
P228

両
リョウ
6画

象形
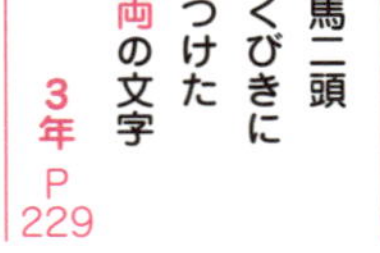
馬二頭くびきにつけた**両**の文字
3年
P229

良
リョウ
よーい
7画

象形
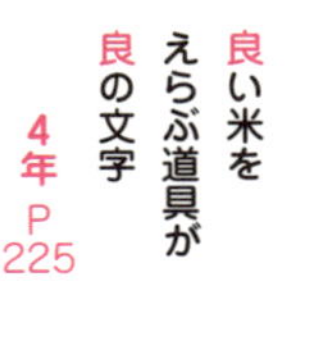
良い米をえらぶ道具が**良**の文字
4年
P225

料
リョウ
10画

会意
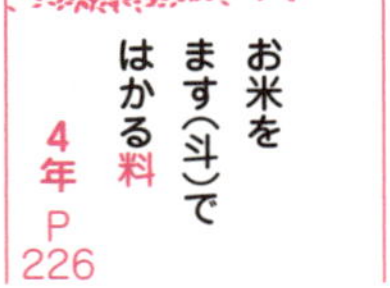
お米をます(斗)ではかる**料**
4年
P226

ラ

量
リョウ
はか-る
12画

象形

こくもつの量
ふくろに
入れて
量ります
4年
P227

領
リョウ
14画

形声

もともとは
人のえり首
あらわした領
5年
P226

力
リョク・リキ
ちから
2画

象形

すきをもち
力をこめて
つちをほる
1年
P21

緑
リョク
みどり
14画

形声

糸をおり
きれいな緑に
そめたぬの
3年
P230

林
リン
はやし
8画

会意

たくさんの
木のある
ところが
林だよ
1年
P35

輪
リン
わ
15画

形声

もともとは
車輪を
あらわす
わっかの輪
4年
P228

臨
リン
(のぞ-む)
18画

会意

𠙵《サイ》三つ
神が天から
臨み見る
6年
P219

類
ルイ
たぐ-い
18画

会意

米と犬を
おそなえに
した
祭りが類
4年
P229

令
レイ

5画

象形

ひざまずき
おつげを
聞いてる
令の文字

4年
P230

礼
レイ

5画

形声

あまざけを
つかった
ぎしきが
礼の文字

3年
P231

冷
レイ
ひ-える
つめ-たい

7画

形声

にすい(冫)は氷
冷めて
冷えて
冷たいよ

4年
P231

例
レイ
たと-える

8画

形声

列にならべた
まよけの
まじない
例の文字

4年
P232

歴
レキ

14画

形声

長年の
いくさの
てがらを
あらわした歴

5年
P227

列
レッ

6画

会意

おおむかし
首をならべた
列の文字

3年
P232

連
レン
つら-なる
つ-れる

10画

会意

もともとは
荷物を
せおって
運ぶのが連

4年
P233

練
レン
ね-る

14画

形声

糸のたば
ふくろに
入れて
おゆで練る

3年
P233

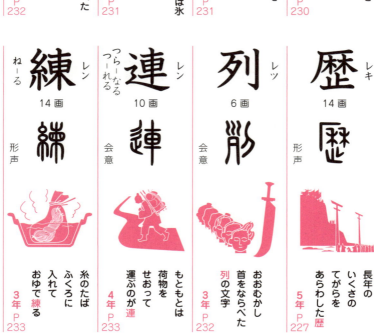

路
ロ
じ
13画

形声

神さまが
おりてくる
みちの路だ
3年
P234

老
ロウ
お－いる
6画

会意

かみの毛の
長い老人
あらわす老
4年
P234

労
ロウ
7画

会意

かがり火で
すき(力)を
きよめた
ぎしきが労
4年
P235

朗
ロウ
(ほが－らか)
10画

形声

朗朗と
月が明るい
朗の文字
6年
P220

六
ロク
む・むっ－つ
4画

仮借

もともとは
テントの
かたち
六となる
1年
P73

録
ロク
16画

形声

金属の
うつわに
きざんで
記録する
4年
P236

論
ロン
15画

形声

言いあって
議論すること
論の文字
6年
P221

ワ行

ワ

和

（やわ-らぐ）

8画

会意

軍門の
まえに
𠙵《サイ》おき
平和をちかう

3年 P235

ワ

話

はなし
はな-す

13画

形声

その話
人をきずつけて
いないか
きをつけよう

2年 P183

小学校で習う漢字1026字の一覧

					P23							
規	寄	基	帰	起	記	紀	季	汽	希	岐	気	机
		P25								P24		
逆	客	議	疑	義	技	機	器	旗	貴	期	揮	喜
							P26					
救	宮	級	急	泣	究	求	吸	休	旧	弓	久	九
				P28								P27
協	供	京	共	漁	魚	許	挙	居	去	牛	給	球
	P30								P29			
玉	極	局	曲	業	競	鏡	橋	境	郷	教	強	胸
						P31						
具	苦	句	区	ク		銀	禁	筋	勤	金	近	均
									P32			
径	系	形	兄	ケ		群	郡	軍	訓	君	熊	空
				P34								P33
穴	欠	激	劇	芸	警	軽	景	敬	経	計	型	係
	P36								P35			
健	県	研	建	券	見	件	犬	月	潔	結	決	血
						P37						
源	減	現	原	限	言	元	験	憲	権	絹	検	険
	P39								P38			
五	湖	庫	個	故	固	呼	古	戸	己	コ		厳
						P40						
向	光	交	広	功	公	工	口	護	誤	語	後	午

P42 P41

校 候 香 紅 皇 厚 幸 効 孝 行 考 好 后

P44 P43

号 講 鋼 興 構 鉱 港 黄 康 高 降 航 耕

P45

混 根 困 今 骨 穀 黒 国 刻 谷 告 合

P47 P46

採 妻 災 再 才 座 差 砂 査 佐 左 サ

P48

崎 罪 財 材 在 埼 際 裁 最 菜 細 祭 済

P50 P49

参 山 三 皿 雑 察 殺 刷 札 冊 策 昨 作

P51

止 支 子 士 シ 残 賛 酸 算 散 産 蚕

P53 P52

使 私 志 至 糸 死 矢 市 四 司 史 仕 氏

P55 P54

詩 試 歯 詞 視 紙 師 指 思 姿 枝 姉 始

P56

治 事 児 似 自 耳 次 寺 字 示 誌 飼 資

P58 P57

実 質 室 失 七 識 式 鹿 磁 辞 滋 時 持

P59

手 弱 若 借 尺 謝 捨 射 者 舎 車 社 写

P60 主 守 取 首 酒 種 受 授 P61 樹 収 州 周 宗

拾 秋 修 P62 終 習 週 就 衆 集 十 住 P63 重 従

縦 祝 宿 縮 熟 出 P64 述 術 春 純 順 準 処

初 P65 所 書 暑 署 諸 女 助 序 P66 除 小 少 招

承 松 昭 将 P67 消 笑 唱 商 章 勝 焼 証 P68 象

傷 照 障 賞 上 条 状 P69 乗 城 常 情 場 蒸

縄 色 P70 食 植 織 職 心 申 臣 身 P71 信 神 真

針 深 進 森 新 P72 親 人 仁

ス

図 水 垂

推 数 P73 寸

セ

井 世 正 生 成 西 声 P74 制

性 青 政 星 省 清 盛 P75 晴 勢 聖 誠 精 製

静 整 P76 税 夕 石 赤 昔 席 責 積 P77 績 切 折

接 設 雪 節 説 P78 舌 絶 千 川 先 宣 専 泉

然 善 前 P80 全 選 線 銭 戦 船 染 洗 P79 浅

倉 送 草 相 奏 走 P81 争 早 組 素 祖 ソ

臓 蔵 増 P83 像 造 操 総 層 想 装 創 P82 窓 巣

P85 存 率 卒 続 属 族 測 側 P84 速 息 則 足 束

待 体 対 太 打 P86 多 他 タ 損 尊 孫 村

担 達 P88 宅 題 第 台 代 大 態 隊 P87 貸 帯 退

談 暖 断 段 男 P89 団 誕 短 探 炭 単

P91 仲 中 着 茶 築 竹 置 値 P90 知 池 地 チ

町 兆 庁 丁 貯 P92 著 柱 昼 注 忠 宙 沖 虫

P94 賃 直 調 潮 腸 朝 鳥 頂 P93 張 帳 長

P95 停 庭 底 定 弟 低 テ 痛 通 追 ツ

転 展 点 店 典 天 P96 鉄 敵 適 笛 的 程 提

田 P97 伝 電 **ト** 徒 都 土 努 度 刀 P98 冬 灯

当 投 豆 東 島 討 P99 党 湯 登 答 等 統 糖

頭 P100 同 動 堂 童 道 働 銅 導 P101 特 得 徳 毒

独 読 栃 届 **ナ** P102 奈 内 梨 南 難

ニ 二 肉 P103 日 入 乳 任 認 **ネ** 熱 年

念 P104 燃 **ノ** 納 能 脳 農 **ハ** 波 P105 派 破

馬 拝 背 肺 俳 配 P106 敗 売 倍 梅 買 白 博

麦 P107 箱 畑 八 発 反 半 犯 判 P108 坂 阪 板 版

班 飯 晩 番 **ヒ** P109 比 皮 否 批 肥 非 飛

秘 P110 悲 費 美 備 鼻 必 筆 百 P111 氷 表 俵 票

評 標 秒 病 品 P112 貧 **フ** 不 夫 父 付 布

府 P113 阜 負 婦 富 武 部 風 服 P114 副 復 福 腹

複 仏 物 粉 P115 奮 分 文 聞 ヘ 平 兵 並

陛 P116 閉 米 別 片 辺 返 変 編 P117 弁 便 勉

ホ 歩 保 補 母 墓 P118 暮 方 包 宝 放 法

訪 報 P119 豊 亡 忘 防 望 棒 貿 暴 P120 北 木 牧

本 マ 毎 妹 枚 P121 幕 末 万 満 ミ 未

味 密 脈 P122 民 ム 務 無 夢 メ 名 命

明 迷 P123 盟 鳴 面 綿 モ 模 毛 目 門 P124 問

ヤ 夜 野 役 約 訳 P125 薬 ユ 由 油 輸

友 有 勇 郵 P126 遊 優 ヨ 予 余 預 幼 用

羊 P127 洋 要 容 葉 陽 様 養 曜 P128 浴 欲 翌

ラ 来 落 乱 P129 卵 覧 リ 利 里 理 裏

陸 立 P130 律 略 流 留 旅 両 良 料 P131 量 領 力